D1086330

# LE PETIT LIVRE
# QUI BAT LE MARCHÉ

JOEL GREENBLATT

# Le Petit Livre
# qui bat le marché

traduit de l'américain par Roland Monet

ÉDITIONS GUTENBERG

Cet ouvrage a été publié sous le titre original :
*The Little Book that beats the Market*
by Wiley & Sons, Inc., New Jersey.

Si vous voulez recevoir notre catalogue
et être tenu au courant de nos publications,
envoyez vos nom et adresse
aux éditions Gutenberg,
33, boulevard Voltaire, 75011 Paris
www.editionsgutenberg.fr

Et, pour le Canada, à
Édipresse Inc., 945, avenue Beaumont,
Montréal, Québec, H3N 1W3.

ISBN 2-35236-005-6

# AVANT-PROPOS
## de l'édition française

Aujourd'hui, vous et moi, nous sommes en concurrence permanente – et sur tous les plans – avec le monde entier. Lorsque nous nous levons, les Chinois travaillent peut-être depuis déjà six heures. Quand nous nous arrêtons, en fin de journée, ils sont peut-être encore au travail, et ce en acceptant des rémunérations très inférieures aux nôtres. Cette concurrence a déjà causé des dégâts considérables sur le plan économique et social. Et ce n'est pas fini : soyez-en persuadés, notre niveau de vie est profondément menacé.

Si nous voulons survivre, il n'y a que deux issues :

– Pour les grandes entreprises et les pouvoirs publics, miser sur l'innovation.

– Pour chacun d'entre nous, investir intelligemment. (En la matière, beaucoup en sont encore à l'âge de pierre.)

Quand on ne vit que de son salaire, on est un prolétaire. Si l'on dispose d'un revenu élevé, on est un prolétaire... de luxe. Et l'on risque, chaque jour, de perdre son statut social. Une bonne parade : disposer d'un patrimoine.

Bien sûr tout le monde ne naît pas avec un patrimoine, mais tout le monde peut s'en constituer un. Au début du siècle dernier, le fermier plantait une rangée de peupliers à la naissance de sa fille : à vingt ans, la belle avait une dot attractive. Aujourd'hui, peu de gens ont une parcelle à cultiver, mais il reste la Bourse !

*Le Petit Livre qui bat le marché* vous prend par la main, il vous guide pas à pas, ne fait appel à aucune notion mathématique. Plein d'humour, lisible par un adolescent, c'est sans doute le premier livre consacré à la Bourse qui soit vraiment accessible à tous. Il explique comment se crée la richesse, et comment prendre sa part. Surtout, il en donne un mode d'emploi tout à fait simple et pratique. Et même le plus chevronné des investisseurs trouvera matière à réflexion et d'excellents conseils[1]. Les Américains ne s'y sont pas trompés.

Au-delà de son phénoménal succès d'édition (*Le Petit Livre qui bat le marché* s'est vendu à près de 300 000 exemplaires aux USA en moins d'un an), la presse financière la plus sérieuse, du *Wall Street Journal* au *Financial Times*, de *Bloomberg* à *CBS Market Watch*, connue pour sa sévérité vis-à-vis des soi-disant experts de la Bourse, l'a encensé.

On aurait pu craindre que la méthode proposée par Joel Greenblatt ne fonctionne qu'aux États-Unis. Il

---

1. J'avoue avoir d'abord ressenti une certaine incrédulité devant un livre qui promettait de battre le marché. Après l'avoir lu (et traduit), il est évident que je n'investirai plus jamais, ni pour mes clients ni pour moi-même de la même façon.

n'en est rien. Le célèbre cabinet d'analystes *Dresdner Kleinwort Wasserstein*, basé à Londres, a testé sur les marchés européens et japonais le «système Greenblatt» : les résultats sont encore meilleurs qu'aux USA !

10 000 euros aujourd'hui qui feront 1 million d'euros dans une quinzaine d'années, vous n'y croyez pas ! D'ailleurs, si tout le monde suivait Joel Greenblatt, il n'y aurait que des riches. Impossible !

Mais si !

Dans *Le Petit Livre qui bat le marché*, vous découvrirez pourquoi la méthode est efficace, même si nous la connaissons tous, et pourquoi elle continuera à l'être à l'avenir, et sur tous les Marchés du monde.

Un dernier conseil. Si, un jour, un professionnel se propose de vous aider à investir, demandez-lui s'il a lu ce livre. S'il répond « non », changez de trottoir !

ROLAND MONET*

---

*Roland Monet, polytechnicien, gestionnaire de portefeuille depuis trente-cinq ans, auteur de plusieurs ouvrages sur la finance et sur la Bourse, dont le très remarqué Les Circuits de l'épargne (Flammarion, 2002), est le traducteur français du Petit Livre qui bat le marché.

# INTRODUCTION
## de Joel Greenblatt

À l'origine, ce livre a été inspiré par mon désir de faire un don à chacun de mes cinq enfants. J'en étais arrivé à me dire que, si je pouvais leur enseigner la manière de gagner de l'argent par eux-mêmes, je leur ferais un énorme cadeau – un cadeau réellement utile sur le long terme. Je pensais également que, si je pouvais expliquer une méthode pour gagner de l'argent avec des mots si simples que même mes propres enfants soient en état de la comprendre (ceux en classe de sixième ou de cinquième, en tout cas), alors je pouvais très bien enseigner comment investir en Bourse avec succès à n'importe qui.

Bien que les concepts traités dans ce livre puissent paraître élémentaires – peut-être trop élémentaires pour des investisseurs avertis – chaque étape de ce cheminement est là pour une bonne raison. Suivez-le et je vous assure que le bénéfice, tant pour les débutants que pour les investisseurs expérimentés, sera énorme.

Après avoir été pendant plus de vingt-cinq années investisseur institutionnel et neuf ans professeur dans des écoles de commerce des plus réputées, je suis convaincu d'au moins deux choses :

1. Si vous voulez réellement « battre le Marché », la plupart des professionnels et des économistes ne vous seront d'aucun secours.

2. Cela ne vous laisse qu'une solution efficace : le faire vous-même.

Aussi improbable que cela puisse paraître, vous pouvez apprendre à « battre le Marché ». Par un processus simple, pas à pas, ce livre vous enseigne la marche à suivre. Pour vous accompagner, j'y ai inclus une formule magique. Cette formule élémentaire a du sens ; et, grâce à elle, vous pouvez battre à plates coutures le Marché, et avec lui professionnels et économistes. Et en courant peu de risques. La formule a fonctionné durant de nombreuses années et, même si tout le monde la connaît, son succès perdurera. Bien que la formule soit facile à mettre en œuvre et qu'elle ne prenne pas beaucoup de temps, elle ne travaillera pour vous que si vous faites l'effort de comprendre parfaitement pourquoi elle fonctionne.

Tout au long du livre vous apprendrez :
– comment évaluer le Marché.
– pourquoi le Marché se dérobe aux investisseurs individuels et professionnels.
– comment trouver les bonnes sociétés à des cours bradés.
– comment vous pouvez « battre le marché » tout seul.

Une annexe a été ajoutée en fin de volume pour ceux d'entre vous qui disposent de plus d'expérience financière, mais il n'est pas nécessaire de la lire et de la comprendre pour être en mesure d'assimiler et d'appliquer les méthodes proposées par ce livre. La vérité est qu'il n'est pas nécessaire d'être diplômé pour battre le marché. Connaître des tas de formules et de termes financiers ne fait pas la différence. Comprendre les concepts simples de ce livre… voilà ce qui fait la différence.

Ainsi, s'il vous plaît, recevez ce cadeau avec plaisir. Puisse le petit investissement en temps et en argent – la modeste somme que vous a coûté ce livre – enrichir votre avenir.

Bonne chance.

# CHAPITRE I

Jason est en sixième et il est en train de faire fortune. Mon fils et moi le croisons presque tous les jours sur le chemin de l'école. Jason est assis à l'arrière d'une limousine avec chauffeur, vêtu comme un prince, arborant des lunettes aux verres fumés. Ah! avoir onze ans, être riche et détendu! La vie est belle. À vrai dire, peut-être me suis-je laissé un peu emporter. En fait, ce n'est pas une limousine, c'est plutôt une mobylette. Le costume chic et les lunettes noires, eh bien, ce n'est pas tout à fait cela non plus. Son ventre dépasse de son jean, il n'a pas de lunettes, et il a encore des restes de son petit-déjeuner sur la joue. Mais là n'est pas le propos : Jason est dans les affaires.

Il applique un système simple mais qui fonctionne bien. Jason achète quatre ou cinq paquets de chewing-gums par jour. Il les paie 25 cents pièce, et chaque paquet contient cinq tablettes. Mon fils raconte que, une fois dans la cour de récréation, Jason se transforme en super-héros. Ni la pluie, ni la neige fondue, ni un malencontreux surveillant ne peuvent l'empêcher de revendre son chewing-gum. Je suppose que ses clients aiment à se fournir auprès d'un super-héros (ou peut-être ne peuvent-ils quitter l'école pour leurs achats), mais, quelle que soit la façon dont il y parvient, Jason vend chaque tablette 25 cents. Je ne l'ai pas vu opérer moi-même mais, sans doute, Jason brandit-il un paquet ouvert sous le nez d'un client potentiel en répétant « il t'en faut un, tu sais bien qu'il t'en faut un ! » jusqu'à ce que l'autre élève s'effondre ou se laisse délester de 25 cents.

Mon fils a chiffré les flux : avec cinq tablettes à 25 cents, Jason empoche 1,25 $ par paquet vendu. Le prix de revient étant de 25 cents par paquet, Jason fait un bénéfice net de 1 $ sur chaque paquet. À raison de quatre à cinq paquets par jour, cela fait beaucoup d'argent. Après avoir évalué l'activité quotidienne de Jason, j'ai demandé à mon fils :

— Dis-moi, combien crois-tu que ce petit bonhomme pourra gagner d'ici à la fin de ses études ?

Mon fils – appelons le Ben, même si son vrai nom est Matt – se lança dans ses calculs, utilisant toute la capacité de son cerveau (et quelques doigts).

— Voyons, répondit-il, cela fait 4 $ par jour, cinq jours par semaine. À 20 $ par semaine, 36 semaines de cours dans l'année, cela donne 720 $ par an. S'il lui faut six années de scolarité pour obtenir son diplôme, cela lui fera dans les 4 000 $ à la fin de ses études.

Pour ne pas laisser passer une occasion d'être pédagogue, je lui demandai alors :

— Ben, si Jason te proposait de te céder la moitié de son commerce, combien faudrait-il que tu lui verses ? En d'autres termes, s'il partage la moitié des profits réalisés par son affaire de chewing-gum sur les six années que dureront ses études, mais en exigeant d'être payé dès maintenant, combien lui verserais-tu ?

Dès lors qu'il s'agissait de véritable argent, je pouvais voir le cerveau de Ben commencer à tourner :

— Peut-être que Jason ne vend pas quatre ou cinq paquets par jour, mais seulement trois. Sur cette base, on est sur un terrain solide. Ainsi gagnerait-il 3 $ par jour, ce qui fait encore 15 $ par semaine de classe. En 36 semaines – une année scolaire –, cela fait 36 fois 15 (là, je l'ai peut-être un peu aidé), soit plus de 500 $ par an. Jason a encore six années devant lui, donc 6 fois 500 $, soit 3 000 $ lorsqu'il aura son diplôme !

— Très bien, dis-je. Je suppose donc que tu es prêt à verser à Jason 1 500 $ pour la moitié de ses profits ?

— Sûrement pas, répondit Ben. D'abord pourquoi verserais-je 1 500 $ pour recevoir 1 500 $ ? Cela n'a aucun sens. En plus, les 1 500 $ de Jason s'étalent sur les six prochaines années. Pourquoi lui paierais-je 1 500 $ pour recevoir 1 500 $ échelonnés sur une période de six ans ? Enfin, il est possible que Jason fasse un peu mieux que dans mes prévisions et me rapporte plus de 1 500 $, mais il peut aussi faire moins bien !

— De plus, repris-je en abondant dans son sens, peut-être que d'autres écoliers se mettront eux aussi à vendre du chewing-gum : Jason aura de la concurrence et ne pourra plus écouler les mêmes quantités.

— Non, Jason est un super-héros, répondit Ben. Je ne pense pas que quelqu'un puisse faire aussi bien que lui. Je n'ai aucun souci à ce sujet.

— Je te suis, répondis-je. Même si les affaires de Jason marchent bien, 1 500 $ est une somme trop élevée pour la moitié de ce commerce. Mais si Jason proposait de te la céder pour 1 $, l'achèterais-tu ?

— Bien sûr, répondit-il sur un ton qui signifiait : « Mon père déraille ou quoi ? »

— Très bien, dis-je sans relever, le bon prix est donc compris entre 1 $ et 1 500 $. On se rapproche. Alors, combien lui en donnerais-tu ?

— Aujourd'hui, je dirais 450 $. Si j'encaissais ensuite 1 500 $ tout au long des six prochaines années, je pense que ce serait une bonne transaction, dit Ben, visiblement satisfait de sa décision.

— Parfait, répondis-je. Maintenant, tu comprends de quoi je vis ?

— Mais, papa, de quoi parles-tu ? Je ne t'ai jamais vu mâcher de chewing-gum !

— Ben, je ne mâche pas de chewing-gum, je ne vends pas de chewing-gum. Je passe mon temps à estimer la valeur des entreprises, exactement comme nous venons de le faire avec le commerce de Jason. Si je peux acheter une affaire moins cher que la valeur maximale que j'ai estimée, alors je l'achète !

— Un instant, laissa échapper Ben, cela paraît trop facile. Si une entreprise vaut 1 000 $, pourquoi quelqu'un la céderait-il à 500 $ ?

Cette question, en apparence raisonnable et logique, est celle, magique, qui est à l'origine de ce projet. Je lui répondis qu'il avait posé la question fondamentale, et qu'il existe un endroit où des entreprises se vendent régulièrement à moitié prix. J'ajoutai que je pouvais lui indiquer l'endroit et lui enseigner la méthode permettant d'accomplir ce petit miracle. Mais bien sûr, il y avait un « truc ».

Le « truc » ne réside pas dans une réponse compliquée : elle ne l'est pas. Inutile également d'être un génie ou un super-espion pour dénicher des billets de 1 000 $ vendus 500 $. Je décidai alors d'écrire ce livre pour que Ben et ses enfants puissent comprendre ma profession mais aussi pour qu'ils apprennent à se lancer dans de fructueuses opérations d'investissement. J'imagine que, quelle que soit la carrière qu'ils embrasseront (même si ce n'est pas un métier de la finance, profession que je n'encourage pas nécessairement), ils auront sans aucun doute besoin de savoir comment investir une partie de leurs revenus.

Comme je le répétais alors à Ben, il y a un « truc ». Ce « truc » est qu'il vous faut écouter une histoire, qu'il vous faut prendre le temps de l'assimiler et, ceci est plus important encore, qu'il vous faut être convaincu de sa véracité. L'histoire se conclut même sur une enrichissante formule magique. Je ne plaisante pas. Si vous ne croyez pas que la formule magique vous enrichira, elle ne le fera pas. Mais si vous croyez à l'histoire que je vais vous conter – je veux dire, si vous en êtes tout à fait convaincu – vous pourrez alors choisir de gagner de l'argent avec ou sans la formule. Toutefois, l'utiliser vous fera économiser du temps et de l'énergie, et donnera, à la plupart d'entre vous, de meilleurs résultats. Après avoir lu ce livre, à vous de prendre votre décision.

Oui, je sais ce que vous pensez. Quelle est donc cette "histoire" à laquelle il faut "croire"? S'agit-il d'une nouvelle religion? Avons-nous affaire à *Peter Pan* ou au *Magicien d'Oz*? Et je ne parle pas de la boule de cristal qui m'insupporte au plus haut point, ni des singes volants qui n'ont rien à faire ici. Et "devenir riche", qu'est-ce que cela veut dire? Un livre peut-il réellement nous dévoiler le moyen de s'enrichir? Cela n'a aucun sens. Si cela était possible, tout le monde serait riche. Ces remarques de bon sens sont d'autant plus justifiées lorsqu'il s'agit d'un livre faisant la promotion d'une formule magique. Si tout le monde la connaît et que tout le monde s'enrichit, la formule perdra tous ses pouvoirs.

Je vous ai prévenus, l'histoire sera longue. Je vais la commencer dans un instant.

Pour mes enfants, comme pour beaucoup de grandes personnes, presque tout ce que je m'apprête à exposer est nouveau. En ce qui concerne les adultes, même ceux qui pensent en savoir déjà long sur l'investissement, même les diplômés d'écoles de commerce, et même les professionnels qui gèrent l'argent des autres, la majeure partie de ce qu'ils ont appris est faux.

En fait, très peu de gens vont croire à l'histoire qui va suivre. Je le sais parce que s'ils y croyaient – s'ils y croyaient vraiment – il y aurait beaucoup plus d'investisseurs heureux sur la place. Or il y en a peu. Je suis persuadé de pouvoir vous apprendre à devenir l'un d'eux. Alors, commençons.

# CHAPITRE II

En réalité, le simple fait de commencer est déjà une affaire en soi. Épargner, même peu, demande une discipline importante. Quel que soit le montant gagné ou reçu, il est tellement plus facile et gratifiant de le dépenser aussitôt. Quand j'étais jeune, je décidai un jour que tout mon argent irait à Johnson Smith. J'aimerais pouvoir raconter que Johnson Smith était un orphelin dans le besoin et que l'argent donné a amélioré sa vie. J'aimerais vous le dire, mais ce ne serait pas l'exacte vérité. Figurez-vous que Johnson Smith était une société commerciale. Pas n'importe quelle société : elle vendait par correspondance des farces et attrapes, de la poudre à gratter et de fausses vomissures de chien.

Toutefois, je n'ai pas jeté mon argent par les fenêtres. Je me suis aussi acheté des choses utiles. Un jour, Johnson Smith a réussi à me vendre un ballon météorologique de trois mètres de haut et de dix mètres de large. Je n'étais pas sûr de saisir le rapport entre un ballon géant et le temps qu'il fait, mais l'expérience semblait vraiment prometteuse. Après que mon frère et moi eûmes trouvé le moyen de le gonfler – avec un aspirateur – un gros problème s'est présenté à nous : le ballon était beaucoup plus large que la porte d'entrée.

Après avoir réfléchi à une formule complexe, difficilement compréhensible par Einstein lui-même, nous conclûmes qu'en nous adossant au ballon et en réunissant nos forces pour le pousser, le ballon aurait suffisamment rétréci pour sortir sans éclater et sans abîmer la porte d'entrée (il faut préciser que notre mère était allée faire des courses). Et nous avons réussi, en oubliant un petit détail : l'air extérieur était plus frais que celui de la maison. Par conséquent, comme l'air chaud s'élève, le ballon commença à flotter dans l'air et à se faire la malle. Il ne nous restait plus qu'à courir après lui, dévalant la rue sur un demi-kilomètre jusqu'à ce qu'il se coince dans les branches d'un arbre.

Je tirai une leçon de cet épisode. Bien que je ne m'en souvienne pas exactement, je suis sûr qu'elle concernait l'intérêt d'épargner pour pouvoir acheter ce qui nous fait vraiment plaisir ou ce dont nous aurons besoin dans l'avenir plutôt que de dépenser notre argent sans discernement, par exemple, dans un ballon géant après lequel il faut courir.

Revenons à notre propos et supposons acquis l'importance d'économiser pour demain. Supposons aussi que vous êtes parvenu à résister aux nombreuses tentations de Johnson Smith ou de milliers d'autres qui sollicitent votre argent ; que vous (ou vos proches) avez pu subvenir aux nécessités de la vie, ce qui inclut la nourriture, l'habillement et un toit. Et qu'en gérant sérieusement vos dépenses vous avez réussi à mettre un peu d'argent de côté. Votre défi est de placer cet argent – disons 1 000 $ – là où il fructifiera.

Cela semble simple. Bien entendu, vous pouvez le cacher sous un matelas ou le mettre dans une tirelire, mais, lorsque vous le retrouverez des années plus tard, vous détiendrez les mêmes 1 000 $ qu'au départ. Pire : si le coût de la vie a augmenté durant cette période, votre argent vaudra en réalité moins que le jour où vous l'avez mis de côté. En bref, le plan "matelas" est à proscrire.

Le plan B est meilleur. Déposez vos 1 000 $ à la banque. Non seulement la banque sera d'accord pour garder votre argent, mais en plus elle vous rémunérera. Chaque année vous récolterez des *intérêts* et, dans la plupart des cas, plus longtemps vous laisserez votre argent, plus le taux que vous percevrez sera élevé. Si vous laissez votre argent à la banque durant cinq ans, vous recevrez, par exemple, 5 % par an[1]. Ainsi, la première année, vous gagnerez 50 $ d'intérêts sur vos 1 000 $ et, de cette façon, vous aurez 1 050 $ à la banque au début de la seconde année. En fin de seconde année, vous collecterez 52,50 $ et ainsi de suite pendant cinq ans. Au bout de cinq ans, vos 1 000 $ seront devenus 1 276 $. Ce n'est pas mal, et certainement mieux que le système du matelas.

Ce qui nous conduit au plan C, connu sous le nom de « Qui a besoin de la banque ? » Il existe un moyen simple de court-circuiter la banque et de prêter directement à des sociétés ou à des groupes de personnes. Souvent, les sociétés empruntent de l'argent

---

1. Que l'intérêt soit de 3 % ou de 6 %, ceci est une hypothèse de travail.

en émettant des *obligations*. Ce n'est pas le cas de la boulangerie du coin, mais des sociétés plus importantes le font couramment. Par exemple, si vous achetez une obligation de 1 000 $ d'une société, elle peut vous offrir 8 % d'intérêt par an, tout en vous remboursant vos 1 000 $ de départ au bout de dix ans. Ce qui bat à plate couture les ridicules 5 % de rémunération proposés par la banque.

Il y a cependant un petit problème : si vous achetez l'obligation d'une société et que ses affaires tournent mal, vous risquez de ne pas percevoir les intérêts et de ne pas être remboursé de votre capital initial. C'est la raison pour laquelle les sociétés les moins fiables – disons le Groupe du café du coin – doivent offrir des taux d'intérêt plus élevés que les sociétés solides et établies. Ce qui explique aussi que les sociétés soient plus généreuses que les banques. Les investisseurs exigent un meilleur taux d'intérêt pour leurs obligations afin de couvrir le risque de ne pas percevoir leurs intérêts ou de ne pas récupérer leur mise initiale.

Naturellement, si vous ne vous sentez pas en mesure de prendre *quelque risque que ce soit* sur vos 1 000 $, l'État, lui aussi, peut vous vendre des obligations. Dans un monde où rien n'est totalement sans danger, prêter de l'argent à l'État se révèle sans doute être la meilleure solution. Si vous désirez lui confier votre argent pour une durée de dix ans, l'État pourra, par exemple, accepter de vous verser quelque chose comme 6 % l'an. (Si vous prêtez pour des périodes plus courtes – disons cinq ans – le taux sera inférieur, peut-être de l'ordre de 4 ou 5 %.)

Prenons l'obligation proposée par le gouvernement des États-Unis dont la *maturité* (la durée nécessaire pour être remboursé) est de dix ans – période longue – et comparons ce placement sûr avec d'autres options d'investissement à long terme. Si le taux d'intérêt annuel de l'obligation du gouvernement est de 6 %, cela signifie que les gens qui veulent prêter leur argent pendant dix ans, sans prendre le risque de ne pas être remboursés de leur capital ni celui de ne pas percevoir les intérêts promis, recevront 6 % chaque année en contrepartie de leur placement. En d'autres termes, pour ceux qui souhaitent engager leur argent dix ans, le taux d'intérêt « sans risque » est de 6 % par an.

Il est important de bien comprendre ce que cela signifie. Si quelqu'un vous demande de lui prêter ou d'investir de l'argent à long terme dans son affaire, il doit vous rémunérer à plus de 6 %. Pourquoi ? Parce qu'il existe un moyen de percevoir 6 % sans le moindre risque. Tout ce que vous avez à faire est de prêter à l'État, et l'État vous garantira une rémunération annuelle de 6 %, vous remboursant la totalité de votre argent à l'issue des dix ans. Donc, si Jason veut vendre une action de son commerce de chewing-gum, il vaut mieux que son rendement soit largement supérieur à 6 % par an, sinon pas question d'accepter ! Si Jason veut emprunter à long terme, même chose, car vous pouvez obtenir 6 %, sans risque, en prêtant à l'État.

Ainsi fonctionne le système.

## Résumé du chapitre :

1. Vous pouvez mettre vos économies sous votre matelas, mais ce plan est plus que médiocre.

2. Vous pouvez déposer votre argent à la banque ou acheter des obligations d'État. Vous percevrez alors un taux d'intérêt garanti et vous serez remboursé de votre capital sans aucun risque[1].

3. Vous pouvez acheter les obligations de sociétés privées. On vous promettra alors un taux d'intérêt plus élevé que celui de la banque ou du gouvernement – mais vous pouvez perdre tout ou une partie de votre mise, aussi faut-il exiger un taux suffisamment élevé pour rémunérer le risque.

4. Vous pouvez aussi faire mieux avec votre argent : c'est ce que nous verrons au chapitre suivant.

Et, j'allais presque oublier :

5. L'air chaud monte. J'ai, malgré tout, appris quelque chose avec ce ballon. Merci Johnson Smith.

---

1. Aux États-Unis, les dépôts en banque sont garantis jusqu'à 100 000 $ par le gouvernement. Il faut conserver son dépôt ou ses obligations jusqu'à leur maturité (par exemple, cinq ou dix ans) pour être garanti de toute perte par rapport à votre investissement initial.

Je vais vous simplifier la vie. Tandis que j'écris ce livre, le taux des obligations d'État est nettement inférieur à 6 %. Cependant, quoique le taux à long terme des obligations d'État soit inférieur à 6 %, nous ferons comme s'il était de 6 %. En d'autres termes, les investissements alternatifs devront de toute façon battre 6 %, quelle que soit l'évolution du taux des obligations d'État. L'essentiel est d'être sûr de gagner beaucoup plus avec nos investissements que ce que nous pourrions gagner sans prendre de risque. Évidemment, si le taux à long terme des obligations d'État montait à 7 % ou plus haut, nous devrions faire mieux que ce taux de 7 % ou plus.

# CHAPITRE III

Que peut-on faire d'autre avec son argent ? Regardons les choses en face : le déposer à la banque ou acheter des obligations d'État n'est pas très excitant. À la réflexion, je sais ce qu'il me reste à faire. Pourquoi ne pas aller au champ de courses et parier sur un cheval ? J'ai essayé, cela n'a pas très bien marché. J'ai même expérimenté les courses de chiens : dans une enceinte, un groupe de lévriers court après un lapin mécanique sur une piste circulaire. C'est amusant à regarder et on y rencontre même des personnalités remarquables, dont certaines à visage humain !

Lorsqu'on examine cette solution en détail, on s'aperçoit que ce n'est pas une bonne idée non plus. J'ai pu m'en rendre compte après que mon chien eut réellement attrapé le lapin. Piétiné par la meute au premier tour, il se releva et reprit sa course dans le mauvais sens. Malheureusement, le lapin mécanique détale à 90 kilomètres à l'heure environ : mon chien, celui en qui j'avais placé confiance et argent, fut projeté à dix mètres de haut par le lapin qui arrivait à toute vitesse sur lui ; il fut tragiquement disqualifié. Un triste spectacle, hélas, dans lequel j'ai perdu tout mon argent.[1]

---

1. Oui, le chien s'en est tiré.

Même si je suis sûr qu'on organise des courses de vers de terre et de gastéropodes en tout genre dans des endroits que je n'ai pas encore découverts, je pense à présent avoir exploré la plupart des alternatives pour placer son argent. Mais examinons-en encore une : pourquoi ne pas investir dans une affaire commerciale ? Après tout, Jason grandira. Peut-être ouvrira-t-il son propre magasin de chewing-gum. Mieux encore : peut-être créera-t-il un groupe de points de vente de chewing-gum (ce qu'on appelle généralement une chaîne de magasins) sous une enseigne aguichante, du type « La Boutique de chewing-gum de Jason ».

Supposons que Jason forme lui-même tout le personnel de son unique marque de chewing-gum, et que sa chaîne de magasins marche très fort (cela peut arriver). Alors, Jason vient vous voir pour vous proposer de vous vendre la moitié de son affaire (il veut acheter une nouvelle paire de lunettes de soleil, une vraie limousine, peut-être même une maison). Mais il exige une grosse somme d'argent, aussi s'agit-il de faire de sérieux calculs avant d'accepter ou non sa proposition. Depuis l'époque de ses virées en ville sur sa mobylette, Jason a bien grandi : à présent il estime que 6 millions de dollars sont nécessaires pour acquérir la moitié de sa société. Bien sûr, 6 millions de dollars représentent plus que ce que la plupart d'entre nous pouvons placer mais, par chance, Jason ne souhaite justement pas vendre la moitié de son affaire à une seule personne. Il a décidé de diviser la totalité de sa société en un million de parts égales, ou *actions*, comme on les appelle à la Bourse. Le plan de Jason est de conserver 500 000 actions et de céder les 500 000 autres à 12 $ pièce, soit 6 millions de dollars au total. Quiconque est intéressé par cette offre peut acquérir une seule action (pour 12 $), 100 actions (pour 1 200 $) mille actions (pour 12 000 $), ou plus selon ses possibilités.

Si vous achetiez, par exemple, 10 000 actions pour 120 000 $, vous seriez propriétaire de 1 % de « La Boutique de chewing-gum de Jason ». Vos 10 000 actions, ou 1 % de « La Boutique de chewing-gum de Jason », signifient que vous avez droit à 1 % des futurs bénéfices distribués par l'ensemble de la chaîne. Bien sûr, vous devez au préalable estimer si débourser 120 000 $ pour posséder 1 % des profits à venir constitue une bonne affaire. (C'est à ce moment précis que notre analyse devient épineuse : il va falloir être un bon détective pour ne pas rater notre coup et voir notre argent mâchonné et finir par terre… comme un vieux chewing-gum !)

Évidemment, Jason nous a fourni un certain nombre d'informations. Nous savons déjà que Jason exige 12 $ pour chacune des actions de sa société et que la totalité représente un million d'actions (en Bourse : un million de titres « inscrits »). Ce qui signifie que Jason évalue son affaire à 12 millions de dollars. (Il pense donc que 1 % de cette affaire vaut les 120 000 $ évoqués plus haut). Bien. Mais, ce qui compte, c'est *notre* estimation. Alors, regardons de plus près ce que Jason nous a dit d'autre sur son affaire.

L'an dernier Jason a vendu pour 10 millions de dollars de chewing-gum dans les dix magasins de la chaîne. Naturellement, ces 10 millions représentent le chiffre d'affaires et absolument pas – hélas – le bénéfice. Les boutiques de Jason ont, en effet, eu quelques dépenses à supporter, à commencer par le coût d'achat des chewing-gums que Jason a revendus – soit 6 millions de dollars. Reste donc 4 millions de marge. Mais ce n'est pas fini.

Jason a dû verser des loyers pour ses dix magasins ; les employés, quant à eux, comptent bien être payés pour vendre les chewing-gums, tenir les lieux propres et faire fonctionner la boutique ; il faut également soustraire l'électricité et le chauffage, l'enlèvement des ordures, la comptabilité, et tenir compte de tout un tas de dépenses administratives qui permettent à Jason de conserver les traces des mouvements des rentrées d'argent et des stocks de chewing-gum. Tout cela a un coût : 2 millions de dollars pour être exact. Ce qui ramène le bénéfice de la société de Jason à 2 millions de dollars. Mais, comme vous le devinez, ce n'est pas encore fini.

La société de Jason a dû payer des impôts. Le gouvernement a, en effet, besoin de recettes pour fournir des services aux citoyens, et les sociétés bénéficiaires doivent payer leur part de taxes pour que le système fonctionne. Dans le cas de « La Boutique de chewing-gum de Jason », l'impôt sur les sociétés représente 40 % des bénéfices (un taux standard pour bon nombre d'activités). 40 % des 2 millions de dollars de bénéfices que la société de Jason a gagnés l'an dernier vont donc à l'État sous forme d'impôts (soit 800 000 $). Finalement, reste un bénéfice net après impôts de 1,2 million de dollars.

Tous ces renseignements sur les bénéfices de l'an dernier ont été très clairement indiqués par Jason dans un document nommé *Compte de résultat* (Table 3.1).

TABLE 3.1
## Compte de résultat
## de la boutique de chewing-gum de Jason
(pour les douze derniers mois, en dollars)

| | |
|---|---|
| VENTES TOTALES | 10 000 000 |
| COÛT D'ACHAT DES CHEWING-GUMS | - 6 000 000 |
| MARGE BRUTE | 4 000 000 |
| FRAIS D'EXPLOITATION, FRAIS GÉNÉRAUX ET ADMINISTRATIFS | - 2 000 000 |
| BÉNÉFICE AVANT IMPÔT | 2 000 000 |
| IMPÔT SUR LES BÉNÉFICES DES SOCIÉTÉS | 800 000 |
| BÉNÉFICE NET APRÈS IMPÔT | 1 200 000 |

Ainsi savons-nous tout ce qu'il nous faut savoir. « La Boutique de chewing-gum de Jason » a réalisé un bénéfice de 1,2 million de dollars l'an dernier. Jason pense que ce résultat porte la valeur totale de sa société à 12 millions de dollars. Il souhaite nous vendre la moitié de cette affaire en se fondant sur cette estimation. (Donc: 6 millions de dollars pour 50 %; 1,2 million de dollars pour 10 %; 120 000 $ pour 1 %; une action, soit un millionième de la totalité de l'affaire, pour la somme dérisoire de 12 $.)

Jason a divisé son affaire en 1 million d'actions, ayant chacune des droits égaux sur le bénéfice. De sorte que si la société a gagné au total 1,2 million de dollars, chaque action donne droit à un millionième de ce montant. 1,2 million divisé par 1 000 000 étant égal à 1,20 $, chaque action qui a coûté 12 $ donne droit à 1,20 $ de gain. Est-ce une bonne affaire ? Voyons les choses comme suit. S'il faut investir 12 $ pour gagner 1,20 $ la première année, notre premier *retour sur investissement* sera de :

$$1,20 \$ / 12 \$ = 10 \%$$

Un bénéfice de 10 % la première année ! Cela paraît convenable, non ? Au cours du chapitre II, nous avons vu qu'il fallait, au minimum, battre les 6 % du revenu annuel des obligations d'État, parce que leur achat rapportait 6 % sans aucun risque. Comme 10 % est mieux que 6 %, *ipso facto*, est-il exact que payer une action 12 $ pour gagner 1,20 $ constitue une bonne affaire ?

Eh bien, la vie n'est pas si simple. La dernière ligne du tableau[1] est encourageante : nous sommes presque

---

1. La fameuse *bottom line* des chefs d'entreprise américains, ou ligne du bas, où figure le montant qui reste à l'entreprise lorsqu'elle a payé ou tout au moins comptabilisé la totalité de ce qui est dû, et qui constitue le bénéfice net après impôt. (NDT)

convaincus, mais il nous faut examiner quelques points supplémentaires avant d'émettre un avis définitif.

Tout d'abord, une action à 1,20 $ représente ce que « La Boutique de chewing-gum de Jason » a gagné l'an dernier. Il nous faut donc examiner si la société sera en mesure de gagner 1,20 $ pendant l'année en cours, ou plus, ou moins. Le bénéfice de l'an dernier constitue une bonne base pour estimer le bénéfice de l'année suivante, mais elle n'est peut-être pas suffisante. Si la boutique réalise l'an prochain un bénéfice différent de 1,20 $ par action de 12 $, l'affaire ne gagnera pas exactement les 10 % escomptés : cela pourrait être plus, mais cela pourrait être moins.

En second lieu, une fois formulée notre estimation sur le niveau de bénéfice de la société de Jason pour l'an prochain, nous devons apprécier la confiance que nous accordons à notre prévision. Si nous établissons nos suppositions sans aucune information sur la stabilité des ventes de chewing-gum d'une année sur l'autre sans envisager le fait que les boutiques de Jason peuvent n'être qu'une mode passagère, sans entrevoir la possibilité que la concurrence d'autres boutiques affecte le commerce de Jason, alors notre estimation sera hasardeuse. Il faut être raisonnable. Si nous hésitons sur un niveau de profit situé entre 1,50 $ et 2 $, cette marge d'incertitude est acceptable. En effet, dans cette hypothèse, la capacité bénéficiaire de la société reste supérieure aux 10 % que nous attendions au départ. En revanche, si notre évaluation des bénéfices les place entre 20 cents et 1,20 $, alors les 6 % garantis des obligations d'État semblent bien meilleurs.

Dernier petit détail. Certes, nous pouvons tenter d'estimer les bénéfices de l'année prochaine, mais il ne s'agit que d'une seule année. *Quid* des années suivantes ? Est-ce que les bénéfices croîtront année après année ? Chaque magasin verra-t-il ses ventes et son bénéfice global augmenter ? Ou alors, si dix boutiques peuvent rapporter 1,20 $ par action, faire passer le nombre de ces boutiques à vingt en quelques années permettra-t-il au bénéfice d'atteindre 2,40 $ par action, ou plus encore ? Naturellement, le commerce du chewing-gum pourrait aussi, à tout moment, tourner au vinaigre (excusez-moi), ramenant sur une longue période les bénéfices bien au-dessous de 1,20 $. Et on peut envisager pire…

Diable, vous commencez à paniquer. Je le sens. Cette affaire est trop périlleuse. Comment se faire une idée de tout cela ? Comment un simple quidam peut-il s'en sortir ? Et, même si vous visez juste, est-il raisonnable, à la vue de cette superposition de devinettes et d'estimations, de "jouer" du bel et bon argent ? N'existe-t-il pas d'innombrables spécialistes – des diplômés des meilleures écoles, des financiers avisés et des analystes professionnels, pour ne pas parler des gestionnaires de portefeuille à plein-temps – qui tentent de déchiffrer les mêmes choses ? Comment vous, petit vermisseau, pouvez-vous espérer concurrencer tous ces travailleurs acharnés, intelligents et astucieux ?

Allez, du calme ! Faites-moi un peu confiance. Accrochez-vous. Je vais résumer tout cela, vous indiquer ce qu'il est important de mémoriser, et nous allons poursuivre. S'il faut vous tenir la main à la moindre petite frayeur…

Donc, voici ce que vous avez besoin de savoir.

### Résumé du chapitre :

1. Acheter une action d'une société signifie que vous achetez une fraction (ou un pourcentage) de cette société. Dans l'avenir, vous aurez donc droit à ce même pourcentage des bénéfices de la société.

2. Chiffrer la valeur d'une société implique l'estimation (d'accord, cela revient à deviner) de ses bénéfices futurs.

3. Le revenu de vos actions doit être supérieur à ce que vous recevriez si vous aviez investi le même montant dans une obligation à dix ans, sans risque, du gouvernement des États-Unis. (Souvenez-vous, au chapitre précédent nous avons fixé à 6 % minimum notre revenu annuel attendu lorsque le taux des obligations d'État est inférieur à 6 %.)

4. Non, je n'ai pas oublié la formule magique… Mais cessez de m'asticoter à ce sujet.

# CHAPITRE IV

Estimer la valeur d'une entreprise n'est pas chose facile. Après de nombreuses interrogations et de multiples évaluations, peut-être serez-vous dans l'erreur. Mais qu'arriverait-il si vous y parveniez ? Qu'arriverait-il si vous réussissiez à évaluer correctement la valeur d'une entreprise ? Une fois que l'on dispose de cette information, que faire ? Existe-t-il réellement un endroit, comme je vous l'ai dit au premier chapitre, où il est possible d'acheter une société pour la moitié de sa valeur ? Un endroit où l'on peut acquérir un bien valant 1 000 $ pour seulement 500 $ ? Je vous propose de parier. Mais arrêtons-nous d'abord quelques minutes dans une école de commerce.

Durant neuf ans, j'ai donné des cours sur l'investissement à des étudiants de haut niveau. Chaque année, le premier jour, j'ouvre un journal à la rubrique financière. On y trouve des pages et des pages de chiffres écrits en caractères minuscules (cela paraît encourageant jusqu'à présent, n'est-ce pas ?) Quoi qu'il en soit, ces pages contiennent des centaines de noms de sociétés et, en face de chaque nom, des chiffres, et encore des chiffres.

Lorsque je demande à mes étudiants de me citer une société d'envergure, General Electric, I.B.M., General Motors, ou Abercrombie & Fitch leur viennent immédiatement à l'esprit. Ce que je fais alors est facile à comprendre et n'importe quelle société, dans n'importe quel secteur, grande ou petite, très connue ou non, fait l'affaire : le résultat est toujours le même. Dans le journal, je fixe mon regard sur la ligne de General Electric et je lis les chiffres à haute voix. « Il est dit que le cours de l'action General Electric était hier de 35 $. Il est dit également que le cours le plus haut de l'action General Electric pendant l'année écoulée était de 53 $. Le cours le plus bas au cours de l'année écoulée était, lui, de 29 $. Même chose pour I.B.M. Hier, une action cotait 85 $. Au cours de l'année écoulée, l'action I.B.M. est montée à 93 $ et a baissé jusqu'à 55 $. »

« General Motors se vendait 37 $ hier. Mais, durant l'année passée, le cours a oscillé entre 30 $ et 68 $. Pour Abercrombie & Fitch, dont l'action cotait hier 27 $, le cours a varié entre 15 $ au plus bas et 33 $ au plus haut. »

Je fais remarquer que, pour des actions, il s'agit de plages de variation plutôt importantes, surtout sur une période si courte. L'observation des cours des actions sur une période de deux à trois ans révélerait des oscillations encore plus prononcées.

La question que je pose alors est toujours la même : « Comment cela est-il possible ? »

Une société comme I.B.M. ou General Motors peut avoir divisé son capital en un milliard d'actions, toutes égales. Ce qui signifie que si, à un moment donné de l'année, on peut acheter une action de General Motors pour 30 $, le prix implicite pour acquérir la totalité de la compagnie serait de trente milliards de dollars. Par conséquent, si, au cours de la même année, les actions de General Motors sont à vendre 60 $, cela signifie que la valeur totale de la société est évaluée à soixante milliards de dollars.

Je pose donc à nouveau la question : comment cela est-il possible ? Comment la valeur de General Motors, le plus grand constructeur automobile d'Amérique du Nord, peut-elle varier autant au cours de la même année ? Comment une aussi grosse société peut-elle valoir 30 milliards de dollars un jour et, quelques mois plus tard, 60 milliards de dollars ? Vendent-ils deux fois plus de voitures, encaissent-ils deux fois plus de recettes, ou ont-ils recours à des procédés industriels radicalement différents pour justifier une telle variation ? Ce n'est évidemment pas le cas. Mais alors, *quid* des fortes variations des cours d'I.B.M., d'Abercrombie & Fitch et de General Electric ? Survient-il chaque année un phénomène qui expliquerait les fortes variations de valeur de la plupart des grosses sociétés ?

Souvenez-vous : tous les ans, il en est de même. Pour la plupart des sociétés que mes étudiants énumèrent, la plage de variation entre le cours le plus élevé et le plus bas, durant la même année, est considérable. Cela a-t-il un sens ? Pour ne pas faire perdre son temps à la classe (et en tenant compte du fait que ma capacité de concentration ne dure que quelques secondes), je lâche un : « Non ! » Il est tout à fait impossible que les *valeurs* de ces sociétés fassent ainsi des hauts et des bas, ou des bas et des hauts extravagants, au cours de chaque année. Pourtant, il est tout à fait clair que les *cours* des actions de tant de sociétés suivent ce mouvement au cours de chaque année. Consulter les journaux suffit à le constater.

J'invite alors mes étudiants à en évoquer les causes. Comment est-il possible que les cours de ces sociétés varient autant chaque année s'il est impossible que la *valeur* de ces sociétés change autant ? Question pertinente que je leur laisse méditer quelques instants avant de les écouter avancer des explications et des théories souvent compliquées.

En fait, il s'agit d'une question si profonde que des universitaires ont développé un vaste champ d'études économiques, mathématiques et sociales pour essayer de fournir une réponse. Plus incroyable, l'essentiel de ce travail de recherche s'est construit autour de théories tendant à prouver que ce qui manifestement n'a pas de sens en aurait pourtant un. Il faut être vraiment doué pour démontrer ça !

Donc, pourquoi le cours des actions varie-t-il autant au cours d'une année sans que la valeur totale des sociétés concernées ne change à ce point ? Voici ce que je réponds à mes étudiants : « Qui peut bien le savoir et, au fond, quelle importance ? »

Peut-être est-il difficile d'établir des prévisions sur les gains futurs. Peut-être est-il trop complexe de fixer le rendement équitable d'une action. Peut-être les gens sont-ils déprimés, fous ou euphoriques par moments, gagnés soudain par une frénésie d'achat ou de vente. Le cours des actions dépend peut-être tout bonnement de l'humeur des investisseurs ; ils font des estimations hautes lorsqu'ils sont heureux, et basses lorsqu'ils sont tristes.

La vérité est que je n'ai pas besoin de savoir pourquoi les gens veulent acheter ou vendre leurs actions à des cours si différents, à des dates si rapprochées. Tout ce que je sais, c'est qu'ils le font. Pourquoi est-il utile de le savoir ? Réfléchissons.

Supposons que vous estimiez la vraie valeur d'une entreprise (qui ressemble éventuellement à « La Boutique de chewing-gum de Jason ») entre 10 $ et 12 $ par action, et qu'au cours de l'année cette action oscille, à plusieurs reprises, entre 6 $ et 11 $. Eh bien, si vous avez confiance en votre estimation, décider d'acheter lorsque le cours est proche de 11 $ se révèle une décision audacieuse, tandis que lorsque l'action de cette même société avoisine les 6 $, le choix est beaucoup plus aisé ! À 6 $ l'action, si votre estimation est bonne, vous avez l'opportunité d'acheter des actions avec un rabais de 50 à 60 % sur leur valeur réelle. Un des plus grands spécialistes de la Bourse, Benjamin Graham, a présenté les choses de la façon suivante. Imaginez, dans une affaire, que vous êtes associé avec un type un peu fou nommé Monsieur LeMarché. L'humeur de ce monsieur est très changeante. Tous les jours en Bourse, il propose de vous acheter vos actions ou de vous en vendre, à un cours qu'il fixe lui-même. Monsieur LeMarché vous laisse, à tout moment, la possibilité d'acheter ou de vendre, et tous les jours vous avez le choix entre trois attitudes : vendre vos actions à Monsieur LeMarché au cours qu'il a fixé ; acheter les actions de Monsieur LeMarché à ce même cours ; ou ne rien faire.

Parfois, Monsieur LeMarché est de si bonne humeur qu'il fixe un cours beaucoup plus élevé que la valeur réelle de la société. Ces jours-là, il serait raisonnable de lui vendre votre participation dans l'affaire. D'autres fois, il est de mauvaise humeur et fixe un cours très bas. Ces jours-là, vous pourriez saisir l'offre de Monsieur LeMarché de vendre ses actions à un cours si bas, et acheter sa participation dans l'affaire. Et si le cours fixé par Monsieur LeMarché n'est ni très élevé ni extraordinairement bas, vous pouvez, fort logiquement, ne rien faire.

Dans le monde de la Bourse, c'est exactement ainsi que les choses se passent. La Bourse *est* Monsieur LeMarché ! Si, selon le journal du jour, l'action General Motors s'échange à 37 $, vous avez le choix entre trois possibilités : vous pouvez acheter chaque action de General Motors à 37 $ ; vous pouvez vendre vos actions de General Motors et percevoir 37 $ pour chacune d'elles ; ou vous pouvez ne rien faire. Si vous pensez que l'action General Motors vaut réellement 70 $, vous pouvez alors considérer que 37 $ est un cours ridiculement bas et décider d'acheter quelques actions. Si vous pensez, au contraire, que l'action General Motors ne vaut en réalité que 30 $ ou 35 $, et qu'il se trouve que vous possédez quelques actions, vous pouvez décider d'en vendre à Monsieur LeMarché à 37 $. Et si vous pensez que l'action General Motors vaut entre 40 $ et 45 $, vous pouvez décider de ne rien faire. Car à 37 $, le cours n'est pas assez bas pour acheter, et 37 $ ne constitue pas une offre suffisamment généreuse pour que vous vendiez.

En bref, on ne vous force jamais la main. Vous seul choisissez d'agir au moment où le prix proposé par Monsieur LeMarché vous semble suffisamment bas (auquel cas vous pouvez décider d'acheter quelques actions) ou suffisamment élevé (auquel cas vous pouvez décider de vous en dessaisir).

Benjamin Graham appelait cette pratique, qui consiste à acheter des actions uniquement lorsqu'elles s'échangent avec un fort rabais par rapport à leur valeur réelle, un investissement avec *marge de sécurité*. L'écart entre la valeur que vous avez estimée (disons 70 $) et le prix d'achat de ces actions (peut-être 37 $) représenterait une marge de sécurité pour votre investissement. Si vous aviez surestimé la valeur de l'action d'une société comme General Motors, ou si, après votre acquisition, l'industrie automobile avait rencontré des difficultés imprévues, la marge de sécurité de votre achat initial pourrait encore vous protéger d'une perte d'argent.

Même dans le cas où vous auriez estimé sa valeur à 70 $, et qu'il se révèle que 60 $ ou 50 $ étaient plus proches de la valeur réelle de chaque action, un prix d'achat de 37 $ laisserait une marge suffisante pour que votre investissement initial vous rapporte de l'argent.

Selon Graham, appliquer systématiquement ce principe de marge de sécurité, au moment d'acheter des actions d'une affaire à un partenaire aussi fou que Monsieur LeMarché, constitue le secret pour réaliser des bénéfices sûrs et fiables. En fait, ces deux concepts – exiger une marge de sécurité au moment de l'achat et imaginer la Bourse comme Monsieur LeMarché, un associé fantasque – ont été utilisés avec succès par nombre des plus grands investisseurs de tous les temps.

Mais attention, il y a encore un problème, voire plusieurs. D'abord, comment êtes-vous supposés savoir combien vaut une société? Si vous ne pouvez pas estimer sa valeur, vous ne pouvez pas diviser cette valeur par le nombre d'actions qui existent, et vous ne pouvez pas non plus chiffrer le cours acceptable de l'action. Donc, même si une action de General Motors cote 30 $ un jour et 60 $ quelques mois plus tard, vous ne disposez d'aucun élément permettant d'affirmer qu'un de ces cours est bon marché et que l'autre est cher, que si tous deux sont bon marché, ou que tous deux sont chers, ou toute autre configuration! En fait, nous avons appris jusqu'ici que, si une bonne action était à portée de main, vous ne sauriez pas l'identifier.

Ensuite, si vous étiez en mesure d'évaluer un cours ou une fourchette de cours, comment pourriez-vous savoir si vous avez raison ou "presque" raison? Souvenez-vous, le processus d'évaluation de la valeur d'une société constitue un ensemble de devinettes et d'estimations qui suppose de prévoir les bénéfices d'une société pour les années à venir. Ce que même les experts (à supposer que ce mot ait un sens) ne savent pas d'emblée.

Enfin, comme nous en avons déjà parlé, n'y a-t-il pas déjà une armée de personnes intelligentes et acharnées sur ce créneau ? N'existe-t-il pas des tas d'analystes et d'investisseurs professionnels qui passent leur temps à essayer d'estimer ce que les sociétés valent réellement ? Même si je pouvais vraiment vous enseigner comment investir, est-ce que ces gens intelligents et expérimentés ne seraient pas meilleurs que vous ? Est-ce qu'ils ne rafleraient pas toutes les bonnes occasions avant vous ? Comment pourriez-vous entrer en compétition avec eux ? La seule chose que vous ayez faite est d'acheter un livre – un livre qui affirme que les enfants (d'accord, disons les adolescents) peuvent apprendre à gagner beaucoup d'argent à la Bourse. Tout cela a-t-il un sens ? Quelles sont réellement vos chances ?

À ce stade, une personne saine d'esprit pourrait être fortement déstabilisée. Mais vous avez payé pour ce livre ! Vous devez vous instruire plus avant, et nous avons encore d'autres points à aborder. En tout cas, résumons.

**Résumé du chapitre :**

1. Le cours des actions varie fortement sur de courtes périodes. Ce qui ne signifie pas que la valeur des mêmes sociétés a considérablement changé durant cette même période. En fait, la Bourse agit comme un type un peu fou appelé Monsieur LeMarché.

2. C'est une bonne idée d'acheter des actions lorsqu'elles présentent un écart de prix par rapport à la valeur que vous avez estimée. Acheter les actions avec un fort rabais offre une marge de sécurité et permet de réaliser des investissements vraiment profitables.

3. En tenant compte de ce que nous avons appris jusqu'ici, il est clair que vous ne sauriez pas reconnaître qu'un prix constitue réellement une bonne affaire, même si on vous offrait une action à ce prix-là.

4. Donc, vous n'avez pas encore toutes les cartes en main : mieux vaut continuer votre lecture.

# CHAPITRE V

J'adore le cinéma, surtout *Karaté Kid*, un de mes films favoris. Dans cette comédie, la scène où un vieux maître de karaté, M. Miyagi, enseigne l'art du combat à un adolescent, Daniel, revêt une signification toute particulière pour moi. Nouveau dans cette école, le garçon est harcelé par un groupe de petits durs qui maîtrisent déjà les arts martiaux. Daniel espère que le karaté lui permettra de tenir tête à ses bourreaux et de séduire la fille de ses rêves. Or, au lieu de lui apprendre le karaté, M. Miyagi demande à Daniel d'astiquer les voitures, de peindre les clôtures, de poncer les parquets.

Après avoir usé ses doigts jusqu'à l'os, le pauvre Daniel en a finalement assez. Il affronte M. Miyagi en lui disant à peu près ceci : « Pourquoi perdre mon temps avec ces travaux manuels alors que je devrais apprendre le karaté ? » M. Miyagi fait mine d'attaquer le jeune garçon en l'invectivant : « Cire ! Cire ! » Daniel pare la charge grâce aux rotations apprises pendant les longues heures où il lustrait les voitures. Puis M. Miyagi lance son poing : « Peins la clôture ! ». Daniel l'esquive en se baissant comme lorsqu'il peignait une clôture. Enfin, il évite un coup de pied par une feinte que l'expérience du ponçage de parquet lui a inculquée.

Grâce à ces quelques techniques élémentaires, Daniel est en effet devenu, sans s'en rendre compte, un maître en karaté. En général, dans les bons films, le spectateur participe à un phénomène appelé la "suspension volontaire de l'incrédulité". En d'autres termes, nous devinons que Ralph Macchio, l'acteur qui interprète Daniel, ne saurait pas se défendre sans l'expérience du lustrage de voitures. Dans la réalité, avant qu'il ait pu faire un geste, M. Macchio aurait probablement reçu un coup sur la tête et se serait effondré comme un sac de pommes de terre. Mais, captivés par le film, nous sommes convaincus que la méthode simple de Monsieur Miyagi peut réellement accomplir des miracles.

Je vais donc, moi aussi, solliciter une petite suspension volontaire de l'incrédulité. Non que ce que vous allez apprendre soit un non-sens : au contraire, les deux concepts de ce chapitre sont absolument logiques. En réalité, ils sont tellement faciles que vous aurez du mal à croire que des outils si rudimentaires puissent faire de vous un expert de la Bourse. Concentrez-vous maintenant et je vous assure que vous ne recevrez jamais de coup sur la tête.

Lorsque nous avons abandonné le héros de notre histoire, Jason venait juste de nous demander de réfléchir à une proposition alléchante. La question était simple : accepterions-nous d'acheter la moitié de sa chaîne de magasins de chewing-gum qui rencontre un franc succès ? Y répondre n'est pas si aisé.

En analysant le compte de résultat que Jason nous a communiqué, nous constatons que la chaîne de dix magasins a réalisé un bénéfice total plutôt impressionnant de 1,2 million de dollars l'an dernier. Jason ayant divisé sa société en un million d'actions égales, nous avons calculé que chaque action générera 1,20 $ de bénéfice (1,2 million de dollars divisés par 1 million d'actions). Au prix de 12 $ par action exigé par Jason, cela signifie que, sur la base des résultats de l'année écoulée, la société nous assurerait une rentabilité de 10 % pour chacune des actions qui nous aurait coûté 12 $ (1,20 $ / 12 $ = 10 %).

Cette rentabilité de 10 %, calculée en divisant le bénéfice d'une action par le cours de l'action, est désignée par l'expression *rendement du dividende*. Comparons ce rendement de 10 %, que nous pourrions obtenir en investissant dans la société de Jason, avec les 6 % que nous pourrions gagner sans risque en investissant dans une obligation à dix ans du gouvernement. Bien que la formulation du problème soit simple, nous avons relevé une série d'interrogations.

D'abord, « La Boutique de chewing-gum de Jason » a gagné ces 1,20 $ par action l'an dernier : les bénéfices de l'exercice suivant pourraient être une tout autre histoire. Si le commerce de Jason faisait moins de bénéfice, nous n'obtiendrions pas une rentabilité de 10 %, et peut-être vaudrait-il mieux en rester là et se contenter des 6 % assurés des obligations d'État. Par ailleurs, même si la société de Jason génère un bénéfice de 1,20 $ par action l'an prochain, ça ne fait qu'une année. Comment pouvons-nous connaître les bénéfices de la société de Jason au cours des années suivantes ? Car nous courons le risque de voir notre rendement chuter au point de passer sous la barre des 6 % assurés par le gouvernement. Enfin, même si nous avions un quelconque avis quant aux bénéfices futurs, quelle confiance accorder à nos prévisions ?

Bref, tous ces problèmes semblent se ramener à ceci : « La prévision est un art difficile, surtout en ce qui concerne l'avenir ! » Si nous ne pouvons pas prévoir les bénéfices futurs d'une entreprise, alors nous ne pouvons pas fixer une valeur à cette entreprise. Et si nous ne pouvons fixer une valeur à une entreprise, Monsieur LeMarché peut bien faire le fou en offrant des prix de super-soldes, nous ne nous en rendrons même pas compte. Mais, plutôt que de nous focaliser sur ce que nous ne savons pas, concentrons-nous sur quelques éléments connus.

Comme nous l'avons vu, « La Boutique de chewing-gum de Jason » a gagné 1,20 $ par action l'an dernier. Au prix de 12 $ par action, notre rendement a été, en conséquence, de 1,20 $ divisé par 12 $, soit 10 % – cela est simple. Or, que serait-il arrivé si « La Boutique de chewing-gum » avait gagné 2,40 $ par action l'an dernier et que nous avions pu acheter quelques-unes de ces actions pour 12 $ ? Si « La Boutique de chewing-gum de Jason » avait gagné 2,40 $ par action l'an dernier, au prix de 12 $ l'action, le rendement aurait été de 20 %. Si « La Boutique de chewing-gum de Jason » avait gagné 3,60 $ par action l'an dernier, au prix de 12 $ l'action, le rendement aurait été de 30 % !

Maintenant, suivez-moi bien, parce qu'il n'y a que deux points principaux dans ce chapitre et voici la question qui déterminera si vous avez ou non compris le premier. Toutes choses égales par ailleurs, si vous pouvez acheter une action de « La Boutique de chewing-gum de Jason » pour 12 $, préféreriez-vous que « La Boutique de chewing-gum » ait gagné 1,20 $, 2,40 $ ou 3,60 $ par action l'an dernier ? En d'autres termes, préféreriez-vous que le rendement calculé en partant des résultats de l'an dernier soit de 10 %, 20 % ou 30 % ? Roulements de tambour, s'il vous plaît. Si vous avez répondu que 30 % c'est évidemment mieux que 20 % et 10 %, vous avez raison ! Il vaut mieux avoir un rendement plus élevé qu'un rendement plus faible ; il est préférable pour vous que l'affaire gagne plus par rapport au prix que vous avez payé, plutôt que moins ! Bravo.

Bon, cela n'était pas trop difficile, mais maintenant voici le second point du chapitre. Il concerne un autre aspect (s'il en était autrement, je dirais deux fois la même chose, ce qui serait vous faire perdre du temps, ce que je ne fais jamais, sauf entre parenthèses). Le premier point était relatif au cours de l'action – notre bénéfice rapporté au prix payé pour chaque action. Autrement dit, le prix payé était-il une bonne affaire ou non ? Mais, en dehors du cours, nous pourrions aussi souhaiter en savoir plus sur la nature de l'activité elle-même. En bref, achetons-nous une "bonne" entreprise ou une "mauvaise" entreprise ?

Naturellement, il existe beaucoup de façons de définir ce qui fait qu'une entreprise est bonne ou mauvaise.

Entre autres facteurs, nous pourrions examiner la qualité de ses produits ou services, la fidélité de ses clients, la valeur de ses marques, le talent de ses dirigeants, la force de ses concurrents ou les perspectives à long terme de son secteur économique. N'importe lequel de ces critères, pris seul ou combiné avec d'autres, nous aiderait à évaluer si nous achetons une bonne ou une mauvaise entreprise. Toutes ces affirmations impliqueraient aussi des suppositions, des estimations et des prévisions. Comme nous en avons déjà fait l'observation ensemble, la tâche est assez ardue.

Aussi, ne faisons aucun pronostic et examinons plutôt ce qui s'est passé l'an dernier. Par exemple, qu'en serait-il si nous découvrions qu'il a coûté 400 000 $ à Jason pour construire et décorer chacun de ses points de vente (y compris l'achat du stock, les aménagements intérieurs, etc.) et que, sur l'année, ces boutiques ont rapporté 200 000 $ ? Cela voudrait dire que, au moins en ce qui concerne les bénéfices de l'an dernier, une boutique type de « La Boutique de chewing-gum de Jason » gagne 200 000 $ à partir d'un investissement de 400 000 $. Cela donne une rentabilité annuelle de 50 % rapportée au coût initial de l'ouverture d'une boutique. Ce résultat est généralement appelé *retour sur le capital investi*. Sans en savoir beaucoup plus, une activité qui permet de gagner 200 000 $ chaque année avec une boutique dont l'installation a coûté 400 000 $ semble être plutôt lucrative.

Mais voici le point épineux (pas tant que cela).

Qu'arriverait-il si Jason avait un ami, Jimbo, qui possédait, lui aussi, une chaîne de magasins ? Que se passerait-il si vous aviez la chance de pouvoir acheter une partie de la chaîne de Jimbo, « Des Brocolis & rien d'autre » ? Que se passerait-il si Jimbo déboursait, lui aussi, 400 000 $ pour ouvrir une nouvelle boutique, mais que chacune d'elles n'avait rapporté que 10 000 $ l'an dernier ? Gagner 10 000 $ par an dans une boutique qui nécessite un investissement de départ de 400 000 $ revient à travailler avec une profitabilité de 2,5 % seulement, un retour sur le capital investi de 2,5 % : quelle entreprise est la meilleure ? « La Boutique de chewing-gum de Jason », une affaire dans laquelle une boutique a rapporté l'an dernier 200 000 $ alors qu'elle avait coûté 400 000 $, ou « Des Brocolis & rien d'autre », une affaire dans laquelle chaque boutique a gagné 10 000 $ l'an dernier avec un coût d'installation égal ? En d'autres termes, quel est le meilleur choix – l'affaire qui rapporte 50 % de retour sur le capital investi ou celle qui en rapporte 2,5 % ? Bien entendu, la réponse est évidente – et c'est le second point ! Il vaut mieux posséder une entreprise ayant un fort retour sur le capital investi que l'inverse ! Bravo, applaudissez (ou peignez une clôture ou poncez quelque chose ou faites ce que vous voulez) ! [1]

Voici l'apothéose. Souvenez-vous : je vous avais dit qu'en utilisant deux outils simples, vous pourriez vraiment devenir un expert boursier ? Eh bien, soyez-en persuadé. Vous êtes désormais un expert boursier.

---

1. Pour connaître ce que Jimbo devrait faire, reportez-vous à l'encadré, à la fin de ce chapitre.

Comment cela est-il possible ? Comme vous le découvrirez au chapitre suivant, il se trouve que si vous vous en tenez à acheter de bonnes sociétés (celles qui ont un retour sur le capital investi élevé) et que vous n'achetez ces sociétés qu'à des cours intéressants (à des cours qui donnent un fort rendement), vous amasserez systématiquement beaucoup de bonnes sociétés que ce fou de Monsieur LeMarché vend décidément pour rien. Vous pourriez obtenir des profits qui battront à plate couture les professionnels de l'investissement (y compris le meilleur professionnel que je connaisse). Vous pourriez dépasser les profits des économistes les plus émérites et surclasser le résultat de toutes les études universitaires jamais produites. En fait, vous pourriez obtenir plus que le double du taux de profit annuel moyen de toute la Bourse !

Mais, il y a plus. Vous pouvez le faire seul, en prenant des risques limités et sans être obligé d'établir des prévisions. Vous pouvez le faire en appliquant une formule simple qui ne fait appel qu'aux deux concepts que nous avons étudiés dans ce chapitre. Vous pouvez le faire pendant le reste de votre vie – seulement après avoir été convaincu que cela marche.

Difficile à croire ? C'est à moi de le prouver. Et à vous de lire et de comprendre que la seule logique assure l'efficacité de cette méthode simple ! Mais d'abord, et comme toujours, voici le résumé.

**Résumé du chapitre :**

1. Payer une action à un cours qui constitue une "bonne affaire" est ce qu'il faut faire. Une façon d'y parvenir consiste à acheter les actions d'une société qui offre, par rapport au cours que vous payez, des bénéfices élevés plutôt que des bénéfices réduits. En d'autres termes, il vaut mieux un bon rendement du dividende qu'un faible.

2. Il vaut mieux acheter des actions d'une "bonne" société que d'une "mauvaise" société. Une manière d'y parvenir consiste à acheter des sociétés qui réalisent des investissements dégageant une forte profitabilité plutôt qu'une faible. En somme, il vaut mieux choisir des entreprises qui ont un retour sur le capital investi élevé que celles qui en ont un faible.

3. Combinez les règles 1 et 2 – acheter des bonnes entreprises à des prix cassés – et vous obtiendrez le secret pour gagner beaucoup d'argent.
Et, le plus important,

4. Ne donnez jamais d'argent aux personnes répondant au nom de Jimbo.

En réalité, à moins que Jimbo ne s'attende à voir ses boutiques « Des Brocolis & rien d'autre » améliorer fortement leurs résultats au cours des années à venir (une position qui implique évidemment des prévisions), il semble tout à fait clair que son entreprise ne devrait pas continuer à ouvrir des boutiques. S'il a le choix entre installer une nouvelle boutique, pour 400 000 $ qui ne rapportera que 2,5 % chaque année, ou acquérir des obligations d'État qui rapporteront 6 % à coup sûr, pourquoi installer une boutique ? En créant des magasins « Des Brocolis & rien d'autre », Jimbo est simplement en train de jeter l'argent par les fenêtres ! (Même s'il gagne 2,5 % sur les sommes investies dans ses nouvelles affaires, il gaspille en réalité les 3,5 % supplémentaires qu'il pourrait gagner simplement en achetant des obligations d'État sans risque !)

# CHAPITRE VI

Nous sommes prêts pour tester la formule magique ! Bien sûr, vous pensez toujours qu'elle ne fonctionnera pas ou encore qu'un livre proposant une formule magique est forcément louche. Si cela peut vous rassurer, même le grand Benjamin Graham, un des pionniers les plus respectés et les plus influents dans le secteur de l'investissement, l'homme qui a introduit le concept de Monsieur LeMarché et de la marge de sécurité, a concocté une formule magique et l'a appliquée. (Certes, il ne l'a pas appelée « formule magique ». Apparemment, il souhaitait conserver une certaine crédibilité.) Graham sentait que beaucoup d'investisseurs individuels ou professionnels rencontraient des difficultés à élaborer les prévisions nécessaires et les analyses pertinentes pour investir judicieusement dans des entreprises. Graham affirmait qu'en appliquant une simple formule de bon sens, les investisseurs seraient en mesure d'obtenir d'excellents résultats avec une sécurité élevée.

La formule de Graham encourageait l'achat d'actions dont le cours était si bas que le prix de l'ensemble des actions de la société était inférieur à celui récolté en cas de faillite et de vente expéditive des actifs. (Il donnait à ces sociétés différents noms : les bonnes occasions, les actions descendues *à leur valeur nette comptable*, ou encore les actions *au-dessous de leur valeur liquidative*.) Graham affirmait que si l'on pouvait acheter un ensemble de vingt ou trente sociétés suffisamment bon marché pour satisfaire aux critères de sa formule, « les résultats devraient être tout à fait satisfaisants ». Graham utilisa cette formule avec beaucoup de succès pendant plus de trente ans.

Malheureusement, elle a été créée au moment où la plupart des cours étaient déprimés. Durant les décennies qui suivirent le krach boursier de 1929, acheter des actions était considéré comme extrêmement risqué, la plupart des investisseurs craignant de tout perdre une nouvelle fois. Quoique la formule de Graham ait continué à porter des fruits au fil des années – surtout durant les périodes où le cours des actions était particulièrement sous-évalué –, sur les marchés d'aujourd'hui, il y a peu, sinon pas, de sociétés remplissant strictement les conditions de la formule de Graham.

Cependant, grâce au succès de sa formule, Graham démontra qu'un système basique, permettant de trouver des actions manifestement sous-évaluées, peut assurer un profit durable. Si Monsieur LeMarché acceptait de lui vendre des actions à des cours suffisamment bas pour satisfaire aux stricts critères de sa formule, Graham calculait qu'il détiendrait un portefeuille d'actions à prix bradés *en moyenne*. Bien entendu, le cours déprécié de certaines actions est justifié :

quelques sociétés le méritent car leurs perspectives d'activité sont médiocres. Mais, en moyenne, Graham évaluait que les achats réalisés grâce à sa formule constitueraient de réelles bonnes affaires. En achetant un portefeuille de ces actions bon marché, les investisseurs se procureraient, en toute sécurité, des actions rémunératrices, sans avoir à se préoccuper d'un mauvais achat et sans avoir à se lancer dans des analyses compliquées pour chaque action individuelle.

Évidemment, Graham nous défie. Est-il possible d'introduire une nouvelle formule qui permette de battre la moyenne du Marché avec un faible risque ? Peut-on en établir une qui soit compatible avec les marchés d'aujourd'hui, mais une qui soit suffisamment souple pour rester efficace dans un lointain avenir – quel que soit le niveau du Marché de demain ? Comme vous l'avez probablement deviné, la réponse est oui. En fait, vous la connaissez déjà.

Au chapitre précédent, nous avons appris que, si nous avions le choix entre acheter une action avec un fort rendement (qui rapporte beaucoup par rapport à son prix d'achat initial) et une avec un rendement faible (qui gagne peu par rapport à son prix initial), il est préférable d'acheter celle qui a le meilleur rendement. Nous avons aussi appris qu'il est préférable d'acheter les actions d'une société dont le retour sur le capital investi est élevé (une société dont les magasins ou les usines gagnent beaucoup par rapport à la somme engagée pour les construire et les faire fonctionner).

Nous y voici. Que pensez-vous qu'il se produirait si nous décidions simplement d'acquérir les actions de sociétés qui ont *à la fois* un rendement important et un retour sur le capital investi élevé ? En d'autres termes, que se passerait-il si nous décidions d'acheter uniquement les actions de sociétés ayant une bonne activité (celles dont le retour sur le capital est élevé) mais en se limitant à celles dont les cours sont bradés (dont les cours offrent un bon rendement) ? Qu'arriverait-il ? Je vais vous le dire : nous gagnerions beaucoup d'argent ! Ou, comme le disait Graham, « les résultats devraient être tout à fait satisfaisants ! »

Comment s'assurer qu'une telle évidence se vérifie dans le monde réel ? Pour répondre à cette question, remontant le temps pour voir comment une stratégie consistant à acheter des bonnes actions à des prix bradés aurait fonctionné.

Au cours des dix-sept dernières années, posséder un portefeuille d'environ trente actions sélectionnées grâce à la combinaison d'un retour sur capital élevé et d'un fort rendement aurait conduit à une performance d'approximativement 30,8 % par an. Investis avec cette profitabilité pendant dix-sept ans, 11 000 $ se seraient transformés en plus d'un million de dollars.[1] Il se

---

1. La base de données utilisée pour l'étude de notre formule magique (la base de données de Compustat *Point in time*) contient des informations qui remontent sur dix-sept ans. Elle contient les renseignements exacts connus par les clients de Compustat à la date de chaque achat. (Vous trouverez plus de renseignements à ce propos à la fin de ce livre). Au taux de 30,8 % par an pendant dix-sept ans, 11 000 $ auraient été multipliés 96 fois et seraient devenus 1 056 000 $ avant impôts et frais de courtages.

trouve que, pour certaines personnes, ce chiffre ne représente pas un profit si élevé que cela. Nous en déduirons qu'elles ont perdu leur bon sens !

Au cours de ces dix-sept années, la moyenne générale du Marché a été de 12,3 % par an. À ce taux, 11 000 $ se seraient tout de même transformés en un impressionnant pécule de 79 000 $. Chiffre considérable, mais un million de dollars, c'est bien plus ! Et vous auriez pu gagner ce million en prenant beaucoup moins de risques qu'en investissant à la Bourse sans formule. Mais nous en reparlerons en détail.

Pour l'instant, afin de comprendre pourquoi une formule aussi simple fonctionne, et pourquoi elle continuera à fonctionner longtemps, arrêtons-nous sur la manière dont elle a été pensée. Ensuite, nous apprendrons, pas à pas, comment appliquer la formule magique pour sélectionner dès aujourd'hui des investissements gagnants. Mais gardez à l'esprit que le mécanisme d'application de la formule n'est pas l'élément fondamental : l'ordinateur effectuera le plus gros du travail. Comme vous l'avez vu au chapitre I, c'est votre certitude en l'écrasante logique de la formule magique qui la fera travailler pour vous durant de longues années. Essayons donc de comprendre sa façon de choisir de bonnes sociétés à des prix bradés.

La formule utilise la liste des 3 500 plus grosses sociétés cotées[1] sur au moins une des principales Bourses

---

1. Une société cotée est une société qui transmet ses informations financières aux pouvoirs publics, et dont les actions sont achetables ou vendables par le grand public.

des États-Unis.[1] Elle assigne ensuite un rang à ces sociétés, de 1 à 3 500, fondé sur le retour du capital investi. La société dont l'activité a le retour sur capital le plus élevé reçoit le numéro 1, et celle dont l'activité a le retour sur capital le moins élevé (probablement une société qui, en réalité, connaît des pertes) est à la 3 500e place. De la même façon, la société qui a le 232e retour sur capital est la 232e de la liste.

Puis, en suivant la même procédure, un second classement est effectué en fonction du rendement. La société offrant le rendement le plus élevé est en 1ère place, celle qui a le rendement le moins élevé, à la 3 500e. De la même façon, la société qui a le 153e rendement dans la liste des 3 500 sociétés reçoit le rang n°153.

Enfin, la formule combine les deux classements. Elle ne cherche pas la société possédant le retour sur investissement le plus élevé, ou celle qui a le meilleur rendement. Non: *la formule liste les sociétés qui ont la meilleure combinaison dans les deux classements.* Ainsi, une société qui est 232e pour le retour sur capital et 153e pour le rendement se classe au 385e rang combiné (232 + 153 = 385). Une société qui est 1ère pour le retour sur capital et 1 150e pour le rendement se classe au 1151[e] rang combiné (1 + 1 150 = 1 151).[2]

---

1. Les détails de ce test sont fournis dans l'annexe (certaines sociétés financières et *utilities* sont exclues de notre échantillon).

2. Le meilleur de ces deux titres est, en conséquence, celui qui a le classement 385.

Si vous n'êtes pas à l'aise avec les chiffres, ne vous en faites pas. Gardez simplement en mémoire que les sociétés qui reçoivent le meilleur classement combiné sont celles qui ont la meilleure combinaison des deux facteurs. Dans ce système, la société qui a le 232e meilleur retour sur capital peut battre la société qui se classe première pour le retour sur capital. Pourquoi? Parce que nous pouvons acheter la société qui a le 232e retour sur capital (un excellent classement sur 3 500 sociétés) pour un prix suffisamment bas et qui assure un bon rendement (153e au classement des bons rendements sur 3 500). Dans ce système, être très bien classé dans les deux catégories (même sans être parmi les premières dans l'une ni dans l'autre) est plus favorable qu'être très bien placé dans une seule catégorie tout en ayant un rang seulement convenable dans l'autre.

Simple, non? Pas tant que cela! Est-ce qu'un portefeuille de trente valeurs environ – parmi les meilleures du Marché – va réellement donner des résultats probants pour l'investisseur? Pour répondre, considérons ceci. Jetez un coup d'œil à la profitabilité qui aurait été obtenue au bout de dix-sept ans si nous nous étions contentés de suivre les recommandations de la formule magique. (cf. Table 6.1)

Oh! cela n'est pas possible! Les résultats sont trop bons! Sans aucun doute, quelque chose ne tourne pas rond. Il nous faut examiner ces résultats de très près, ce que nous ferons au prochain chapitre. Pour l'instant, révisons les notions de base, et passons un peu de temps à nous délecter des résultats obtenus grâce à l'application de notre formule. Ils semblent tout à fait satisfaisants.

## TABLE 6.1
## Résultats de la formule magique

|  | Formule magique | Moyenne du Marché[1] | S & P 500 |
|---|---|---|---|
| 1988 | 27,1 | 24,8 | 16,6 |
| 1989 | 44,6 | 18,0 | 31,7 |
| 1990 | 1,7 | (16,1)[2] | (3,1) |
| 1991 | 70,6 | 45,6 | 30,5 |
| 1992 | 32,4 | 11,4 | 7,6 |
| 1993 | 17,2 | 15,9 | 10,1 |
| 1994 | 22,0 | (4,5) | 1,3 |
| 1995 | 34,0 | 29,1 | 37,6 |
| 1996 | 17,3 | 14,9 | 23,0 |
| 1997 | 40,4 | 16,8 | 33,4 |
| 1998 | 25,5 | (2,0) | 28,6 |
| 1999 | 53,0 | 36,1 | 21,0 |
| 2000 | 7,9 | (16,8) | (9,1) |
| 2001 | 69,6 | 11,5 | (11,9) |
| 2002 | (4,0) | (24,2) | (22,1) |
| 2003 | 79,9 | 68,8 | 28,7 |
| 2004 | 19,3 | 17,8 | 10,9 |
|  | **30,8 %** | **12,3 %** | **12,4 %** |

1. La "moyenne du marché" est un indice non pondéré de notre ensemble de 3500 actions. Chaque action de l'index contribue de façon égale au résultat. L'indice Standard & Poors 500 (S&P 500) est un indice pondéré des cours de 500 grosses sociétés. Les plus grosses sociétés (celles qui ont les plus fortes capitalisations boursières) ont plus de poids que les petites.

2. Les chiffres entre parenthèses correspondent à des nombres négatifs.

**Résumé du chapitre :**

1. Ben Graham avait une formule magique. Il estimait que les achats qui pouvaient satisfaire strictement aux critères de sa formule devaient assurément être, en moyenne, de bonnes affaires – occasions créées par Monsieur LeMarché vendant des entreprises à des prix déraisonnablement bas.

2. Aujourd'hui, peu de sociétés remplissent strictement les conditions établies par Graham.

3. Nous avons conçu une nouvelle formule magique – une formule qui cherche à repérer les bonnes sociétés à des prix bradés.

4. La nouvelle formule semble donner de bons résultats. En fait, elle fonctionne même trop bien.

5. Avant d'utiliser toutes nos économies dans l'expérimentation de la formule magique, nous ferions bien d'examiner d'un peu plus près ces résultats.

# CHAPITRE VII

*Ce ne sont pas les choses que nous ignorons qui nous déconcertent*, écrivait Artemus Ward, un éditorialiste du XIXᵉ siècle, *ce sont les choses que nous savons*. Là, réside notre problème. Les résultats induits par la formule magique sont si bons qu'on ne devrait pas engager de polémique.

Bien entendu, nous souhaiterions qu'elle marche. Qui ne voudrait pas gagner autant d'argent en faisant si peu d'efforts ? Mais la formule magique est-elle réellement profitable ? Bien sûr, ses résultats semblent bons, mais savons-nous comment ils évolueront ? Même si la formule a fonctionné dans le passé, cela nous enseigne-t-il autre chose que le moyen de "gagner la dernière guerre" ? Voyons si nous pouvons esquisser quelques réponses à ces pertinentes questions.

En premier lieu, d'où proviennent ces données ? Des valeurs choisies par un ordinateur peuvent générer des bénéfices théoriquement mirobolants, mais leur transposition au monde réel peut se révéler ardue. Par exemple, la formule magique est susceptible de sélectionner des sociétés si petites que peu d'acheteurs pourront se procurer leurs actions car, pour beaucoup d'entre elles, seul un petit nombre d'actions est disponible sur le Marché, et une demande, même limitée, peut alors faire grimper fortement le cours. Dans ce cas-là, la formule paraît excellente sur le papier, mais, dans la réalité, les bons résultats ne suivraient sans doute pas. C'est la formule magique qui doit sélectionner des sociétés ayant une *capitalisation boursière* (le produit du nombre d'actions par le cours de l'action) suffisante.

Au chapitre précédent, notre formule est partie des 3 500 sociétés les plus cotées sur les principaux marchés des États-Unis. Elle a ensuite sélectionné des valeurs au sein de cet ensemble. Même la plus petite de ces 3 500 sociétés a une capitalisation boursière supérieure à 50 millions de dollars.[1] Avec des sociétés de cette taille, les investisseurs individuels peuvent acheter un nombre raisonnable d'actions sans pour autant en faire monter le cours.

Voyons ce qui se passe si nous élevons un peu la barre. Si la formule magique fonctionnait aussi bien pour les grosses sociétés que pour les petites, nous pourrions avoir encore davantage confiance en son principe de base – acheter de bonnes sociétés à des prix bradés –, car il serait valable pour des sociétés de toute taille. Voyons ce qui se passe lorsqu'on ne prend que les 2 500, et non plus les 3 500, plus importantes. Les plus petites sociétés de ce nouvel ensemble ont une capitalisation boursière d'au moins 200 millions de dollars.

---

1. Pour les détails, se reporter à l'annexe.

Pour lui, la formule magique performe au cours des dix-sept dernières années (qui se terminent en décembre 2004). Un portefeuille de trente sociétés sélectionnées par la formule magique aurait assuré une profitabilité de 23,7 %. Pendant la même période, la rentabilité moyenne du Marché pour cet ensemble a été de 12,4 %. En d'autres termes, la formule magique a pratiquement fait deux fois mieux que la profitabilité annuelle du Marché.

Faisons encore un pas de plus. Réduisons cet ensemble aux mille plus grosses sociétés – celles dont la capitalisation est supérieure à un milliard de dollars et dont les grands investisseurs institutionnels achètent également des actions. (cf. Table 7.1)

Une fois de plus, il apparaît que, même en se limitant aux sociétés retenues par les grands investisseurs, il est presque possible de doubler la profitabilité du Marché en utilisant la formule magique ! Il doit cependant y avoir un truc. Cela paraît trop facile ! Il *doit* y avoir une faille.

## TABLE 7.1
### Résultats de la formule magique
(pour les 1 000 plus grosses sociétés)

|  | Formule magique | Moyenne du Marché | S & P 500 |
|---|---|---|---|
| 1988 | 29,4 | 19,6 | 16,6 |
| 1989 | 30,0 | 27,6 | 31,7 |
| 1990 | (6,0) | (7,1) | (3,1) |
| 1991 | 51,5 | 34,4 | 30,5 |
| 1992 | 16,4 | 10,3 | 7,6 |
| 1993 | 0,5 | 14,4 | 10,1 |
| 1994 | 15,3 | 0,5 | 1,3 |
| 1995 | 55,9 | 31,4 | 37,6 |
| 1996 | 37,4 | 16,2 | 23,0 |
| 1997 | 41,0 | 19,6 | 33,4 |
| 1998 | 32,6 | 9,9 | 28,6 |
| 1999 | 14,4 | 35,1 | 21,0 |
| 2000 | 12,8 | (14,5) | (9,1) |
| 2001 | 38,2 | (9,2) | (11,9) |
| 2002 | (25,3) | (22,7) | (22,1) |
| 2003 | 50,5 | 41,4 | 28,7 |
| 2004 | 27,6 | 17,3 | 10,9 |
|  | **22,9 %** | **11,7 %** | **12,4 %** |

Résumons-nous. Les sociétés désignées par la formule magique ne sont pas trop petites pour faire l'objet d'un achat. Peut-être, alors, la formule magique a-t-elle eu la chance de tomber sur quelques actions aux performances exceptionnelles, ce qui expliquerait une si bonne moyenne? Si notre formule repose sur la chance, lui faire confiance pourrait se révéler très dangereux pour l'avenir.

En fait, il est peu probable que le hasard joue le moindre rôle dans son succès. Sur la période couverte par l'étude – dix-sept années –, nous avons géré un portefeuille d'une trentaine de valeurs. Chaque valeur sélectionnée a été conservée dans le portefeuille pendant une période d'un an[1]. Plus de mille cinq cents sélections ont été réalisées pour chacun des tests (tests avec les 3 500, puis les 2 500, puis les 1 000 plus grosses valeurs). Le résultat de nos trois tests est le fruit de plus de 4 500 sélections différentes! Difficile de soutenir que le hasard est ici à l'œuvre. Mais il doit y avoir d'autres problèmes, n'est-ce pas?

Étudions celui-ci. Nous partons du principe que la formule magique peut trouver trente bonnes sociétés que Monsieur LeMarché a décidé de brader, mais que se passerait-il si elle ne le pouvait plus? Si ces occasions rares disparaissaient? Si Monsieur LeMarché cessait de nous proposer ces incroyables occasions ? Si cela se produisait, la formule serait caduque. Aussi, tentons une petite expérience.

---

1. Pour plus de détails, se reporter à l'annexe.

Reprenons les 2 500 plus grosses sociétés et rappelons que la formule sélectionne celles qui ont la meilleure combinaison retour sur capital investi élevé et fort rendement. Si nous les classions de nouveau à l'aide de la formule magique, et que nous établissions un classement de 1 à 2 500, de la meilleure à la plus mauvaise, les sociétés qui apparaissent comme étant de bonnes affaires disponibles seraient-elles classées au début et celles offertes à des cours excessifs à la fin ?

Répartissons en fonction de leur rang ces 2 500 sociétés en dix sous-groupes égaux. Le sous-ensemble 1 proposerait 250 sociétés considérées par la formule magique comme des bonnes sociétés à prix cassés, le sous-ensemble 2, les 250 suivantes, et ainsi de suite de manière dégressive. Le sous-ensemble 10 proposerait donc 250 sociétés médiocres, offertes à des cours élevés.

Si nous répétions l'opération chaque mois pendant dix-sept ans, et conservions ces portefeuilles d'actions (chacun comportant environ 250 valeurs) pendant un an, quel résultat obtiendrions-nous ? Voyez vous-mêmes. (cf. Table 7.2)

## TABLE 7.2
## Résultats annuels
## (1988-2004)

| | |
|---|---|
| Sous-ensemble 1 | 17,9 % |
| Sous-ensemble 2 | 15,6 % |
| Sous-ensemble 3 | 14,8 % |
| Sous-ensemble 4 | 14,2 % |
| Sous-ensemble 5 | 14,1 % |
| Sous-ensemble 6 | 12,7 % |
| Sous-ensemble 7 | 11,3 % |
| Sous-ensemble 8 | 10,1 % |
| Sous-ensemble 9 | 5,2 % |
| Sous-ensemble 10 | 2,5 % |

Intéressant, n'est-ce pas? La formule magique n'opère pas seulement sur trente valeurs: elle crée une hiérarchie dans l'ordre des sociétés. Les sociétés les mieux placées ont les meilleurs résultats, et, à mesure que l'on descend dans le classement, les performances décroissent aussi! Le sous-ensemble 1 bat le sous-ensemble 2, le sous-ensemble 2 bat le sous-ensemble 3, le sous-ensemble 3 bat le sous-ensemble 4, et ainsi de suite, du numéro 1 au numéro 10. Le sous-ensemble 1, le mieux placé, fait plus de 15 % de mieux par an que le sous-ensemble 10. Stupéfiant!

Il semblerait donc que la formule magique puisse prédire l'avenir! Si nous savons comment un ensemble de sociétés se classe, nous avons une idée assez juste des résultats de nos investissements sur cet ensemble.

Ce qui signifie que, si nous pouvons acheter les trente meilleures valeurs désignées par la formule magique, nous ferons des affaires mirobolantes. Acheter les trente suivantes donnerait des résultats convenables. Et il en va de même pour les trente suivantes! En fait, toutes les valeurs de groupes de tête donneraient de très honorables résultats.

Cela permet de résoudre un de nos problèmes éventuels. Vous souvenez-vous comment Ben Graham était arrivé à sa «formule magique»? Acheter un groupe de sociétés répondant aux critères stricts de la formule de Graham était une voie royale pour gagner de l'argent. Malheureusement, sur les marchés actuels, peu de sociétés, sinon aucune, ne répondraient à cette formule, qui n'est donc plus aussi utile que naguère. Étant une règle de classement, notre formule magique, elle, ne présente pas ces failles. Par définition, il y aura toujours des actions positionnées en tête. En outre, parce que la formule trie selon un ordre, nous ne sommes pas limités aux trente premières ; toutes les actions bien placées présentent des résultats favorables, de sorte qu'il y aura toujours beaucoup de sociétés performantes à sélectionner.

Au bout du compte, la formule magique se porte bien. Nous pouvons continuer à la triturer dans tous les sens, sa victoire n'en demeure pas moins évidente. Peut-être devrions-nous arrêter le combat avant qu'il n'y ait un blessé !

Pas si vite! Bien sûr, ces arguments semblent convaincants. Or la seule preuve que nous ayons jusque-là est que la formule magique a fonctionné dans le passé. Comment nous assurer de sa fiabilité dans l'avenir? Et si tout le monde se mettait à l'appliquer? Serait-elle toujours "opérationnelle"?

**Résumé du chapitre:**

1. La formule magique fonctionne, pour les grosses et les petites sociétés.

2. La formule magique a été largement testée. Les excellents résultats ne semblent pas être le fruit du hasard.

3. La formule magique classe les sociétés dans un certain ordre. En conséquence de quoi, il y aura toujours de nombreuses sociétés bien placées. La formule magique a été un indicateur des résultats futurs d'un ensemble d'actions d'une incroyable exactitude.

4. Au chapitre suivant, il s'agira d'apprécier la constance des si bons résultats de la formule magique. (Ce qui serait bien!)

# CHAPITRE VIII

Je l'admets : mes souvenirs en histoire sont un peu confus. J'aurais dû me montrer plus assidu en classe. Malgré tout, un événement m'a toujours déconcerté. Je n'ai jamais réellement compris comment nous avons gagné notre Guerre d'Indépendance. Nous étions là, treize minuscules colonies en rébellion contre la plus grande puissance mondiale. L'Angleterre avait la meilleure flotte, la plus puissante armée, plus d'argent que nous, et pourtant notre petite troupe hétéroclite de soldats en guenilles a décroché la victoire. Comment cela a-t-il pu arriver ? J'ai une théorie à ce sujet. Étant donné mes connaissances limitées, je ne saurais certifier de son originalité. Selon moi, nous avons gagné parce que nous combattions une armée de parfaits idiots !

Après tout, la stratégie des Britanniques laissait beaucoup à désirer. D'un côté, il y avait des soldats, debout et très visibles – en particulier grâce à leur habit rouge vif – qui tiraient par salves. Je suis sûr qu'ils avaient beaucoup d'allure. En face, il y avait nos gens, un ramassis désorganisé, voire désordonné, se cachant derrière les rochers et les arbres, répondant au tir des cibles rangées en habit rouge ! Il n'est pas étonnant que nous ayons gagné !

Toutefois, voici ce que je ne comprends pas. Ce ne devait pas être la première fois que les Britanniques adoptaient une telle stratégie de combat. Elle avait forcément fait ses preuves dans le passé. Ma seule question est : comment ? Tout ce que je sais, c'est qu'ils ont dû opérer de la sorte des siècles durant et, selon toute apparence – que cela me paraisse plausible ou non – cela leur a réussi. Pourtant leur plan de bataille, si efficace jadis, n'était pas, de toute évidence, celui à adopter dans le présent, et les Britanniques l'ont découvert à leurs dépens.

Qu'en est-il pour nous ? Nous sommes sur le point de nous mettre en mouvement, armés de ce qui paraît être un ambitieux plan de bataille. Nous avons une formule magique intelligente qui par le passé a produit des résultats phénoménaux. Grâce à elle, nous nous attendons à faire fortune. Mais, avant de nous aligner pour recevoir nos gains, nous ferions mieux de réfléchir à un problème évident : comment notre stratégie pourrait-elle rester conquérante, une fois que tout le monde la connaîtra ? Si nous ne trouvons pas de réponse satisfaisante, il se peut que nous finissions comme les Britanniques.

D'abord, une bonne nouvelle. Il existe de nombreux cas où la formule magique est inefficace ! En réalité, cinq mois par an, en moyenne, elle a une profitabilité inférieure à celle du Marché. Mieux ! Elle ne fonctionne souvent pas durant une année entière, voire plus. Et cela est une excellente nouvelle !

Imaginez que vous achetez un livre qui vous conseille d'investir dans un ensemble d'actions dont les noms ont été sélectionnés par un ordinateur. Imaginez que, chaque jour, vous surveillez scrupuleusement ces actions dont les résultats sont inférieurs à la moyenne du marché pendant de longs mois, voire pendant des années. Cela suffit: plus question de faire confiance à ce livre stupide ni à cet ordinateur sans cervelle. Vous allez retrousser vos manches et étudier les perspectives offertes par les entreprises auxquelles vous avez acheté les actions. Imaginez l'horreur lorsque vous constaterez que, si vous aviez évalué personnellement ces sociétés, vous n'auriez en aucun cas touché à beaucoup d'entre elles.

Finalement, en dépit des performances épouvantables et des perspectives peu réjouissantes offertes par les actions que vous possédez, imaginez que vous continuez à suivre les indications de ce livre stupide et de cet ordinateur sans cervelle! Car pourquoi se faire du souci? Après tout, la formule magique agit: nous en avons apporté la preuve au chapitre précédent. Nous allons gagner! Nul besoin de se tourmenter à propos de mois ou d'années de performances médiocres. Malheureusement, en examinant les statistiques de notre période lucrative de dix-sept ans, il y a vraiment de quoi s'inquiéter.

Pendant la durée couverte par les tests, le portefeuille de la formule magique a sous-performé le Marché cinq mois sur douze et, globalement, une année sur quatre.

Pour une période testée[1] sur six, la formule magique a donné des résultats médiocres plus de deux ans d'affilée. Pendant les merveilleuses dix-sept années d'évaluation de la formule magique, il y a même eu des périodes au cours desquelles elle a fait moins bien que la moyenne du Marché, et trois ans de suite !

Pensez-vous qu'il soit facile de persévérer avec une formule qui n'a pas fait ses preuves pendant plusieurs années ? Croyez-vous que la réaction type de l'investisseur soit : « Je sais bien que ça n'a pas marché pendant une période assez longue et que j'ai perdu pas mal d'argent, mais allons-y gaiement ! » Je vous assure que la réponse est négative.

Un tel sentiment est naturel. L'impossibilité de prévoir l'humeur de Monsieur LeMarché et la pression de la compétition avec les autres gérants peuvent discréditer une stratégie qui échoue durant plusieurs années. Cela est vrai pour toute stratégie, si intelligente soit-elle, et si lucratifs soient ses résultats sur le long terme.

Examinons l'expérience d'un de mes amis, le meilleur gérant de fonds que j'aie connu. Il s'attachait à appliquer une méthode rigoureuse consistant à acheter uniquement les actions des sociétés qui arrivaient en tête de classement de la formule.

Il employa ce plan, avec beaucoup de succès, pendant dix ans, avant de créer sa propre société de gestion, en utilisant ces principes de base. Les trois ou quatre

---

1. Les rentabilités annuelles ont été calculées de janvier 1988 à janvier 1989, de février 1988 à février 1989, et ainsi de suite jusqu'à la fin de 2004. En tout, 193 périodes d'un an ont été examinées.

premières années, ses affaires ne furent pas très florissantes : la stratégie avec laquelle il avait si bien réussi auparavant sous-performait drastiquement les fonds concurrents et les moyennes du Marché. Pourtant, cet excellent gérant de fonds n'en demeurait pas moins convaincu que sa stratégie, sur le long terme, était la bonne, et qu'il devait persévérer dans cette voie. Mais ses clients ne l'entendirent pas ainsi. La majorité d'entre eux prirent la fuite, retirant leur argent, la plupart pour le confier à un gérant qui, au contraire de mon ami, « savait ce qu'il faisait. »

Comme vous vous en doutez, ils auraient mieux fait de rester. Les cinq ou six dernières années ont été si profitables que les résultats de sa société depuis sa création (en comptant les cinq piètres premières années) ont battu à plate couture les moyennes du Marché sur une durée identique. Aujourd'hui, sa société fait partie de cette petite poignée de fonds de gestion, parmi les meilleures des milliers de Wall Street.

Pour prouver que, quelquefois, des résultats satisfaisants arrivent à qui sait attendre, la société de mon ami gère maintenant plus de dix milliards de dollars pour une centaine de clients, dont seulement quatre étaient présents depuis le début[1].

En conclusion, si la formule magique fonctionnait de façon permanente, tout le monde l'utiliserait. Et si tout le monde l'utilisait, elle cesserait probablement de fonctionner. Ainsi, de nombreux investisseurs

---

1. J'ai la chance d'être l'un d'eux ! (En qualité d'ami, toutefois, je ne pouvais pas faire autrement que rester.)

achèteraient-ils les actions des sociétés sélectionnées par la formule magique et les cours seraient poussés à la hausse presque immédiatement. En d'autres termes, si chacun utilisait la formule, les bonnes affaires disparaîtraient et la formule magique avec elle !

L'imperfection de la formule magique est une véritable aubaine. Elle ne fonctionne pas tout le temps. Si elle est inefficace pendant des années, beaucoup d'investisseurs n'attendront pas : leur *horizon de placement* est trop court. Si une stratégie fonctionne avant tout sur le long terme (ce qui veut dire qu'il faut parfois trois, quatre ou même cinq ans pour qu'elle démontre ce qu'elle vaut), la plupart des gens s'enfuiront. Après une année ou deux de résultats inférieurs à la moyenne du Marché (ou des gains moindres que ceux de leurs amis), ils se tourneront vers une autre stratégie – habituellement une de celles qui ont eu le vent en poupe les années précédentes.

Les gestionnaires professionnels eux-mêmes, ceux qui sont convaincus que leur stratégie sera payante à long terme, ont le plus grand mal à s'y tenir. Après quelques années de piètres performances, comparées au Marché ou à leurs concurrents, une majorité de leurs clients les quitte tout simplement ! Il est presque impossible de sortir du rang. Si vous êtes gestionnaire professionnel et que vos résultats sont – par rapport aux autres – médiocres, vous courez le risque de perdre tous vos clients, voire votre place !

Beaucoup de gestionnaires estiment que le seul moyen d'éviter ce risque est d'investir plus ou moins comme les concurrents. Cela revient à acquérir les sociétés les plus en vogue, en général celles dont les perspectives semblent les plus prometteuses pour les quelques trimestres à venir, l'année suivante ou les deux prochaines.

Peut-être commencez-vous à comprendre pourquoi les autres ne vont pas utiliser la formule magique. Bien que tentés, la plupart l'abandonneront dès les premiers mois ou années de mauvaises performances. Comme nous l'avons vu au premier chapitre, croire fermement en cette formule est capital. Si vous ne pensez pas qu'elle pourra fonctionner pour vous, vous l'abandonnerez sans doute avant qu'elle n'ait une chance de faire ses preuves.

La formule magique fonctionne (en tout cas, c'est ce que les statistiques des dix-sept dernières années semblent montrer) avec des profits annuels à long terme qui représentent le double, et dans certains cas le triple, de ceux des moyennes du Marché. Sur de plus courtes durées, c'est plus aléatoire. En ce qui concerne la formule magique, "périodes plus courtes" signifie des années, pas des jours ni des mois. D'une manière étrange, mais néanmoins logique, la bonne nouvelle réside en ça.

C'est vraiment une bonne nouvelle si vous croyez suffisamment en la formule magique pour lui faire confiance sur le long terme. Bien sûr, le passé de la formule magique vous soutiendra, mais, pour demeurer fidèle à une stratégie dont les résultats ont été médiocres pendant des années et des années, il va falloir y croire au plus profond de vous-même. Comment? C'est ce que nous verrons au chapitre suivant.

**Résumé du chapitre:**

1. La formule magique semble très bien fonctionner sur le long terme.

2. Il arrive souvent que la formule magique ne fonctionne pas plusieurs années de suite.

3. La plupart des investisseurs ne persévéreront pas (ou ne pourront pas persévérer) avec une stratégie qui ne donne pas de bons résultats plusieurs années consécutives.

4. Pour que la formule magique travaille pour vous, vous devez croire qu'elle fonctionnera, et maintenir un horizon de placement à long terme.

5. En dehors de celui-ci, le chapitre suivant est le plus important de ce livre.

# CHAPITRE IX

*Vomir sous les cadratins et ruer!* Voilà une formule que l'on n'entend pas tous les jours. La raison est simple : elle ne correspond plus à aucune réalité. Elle ne m'a été utile que pour passer mon sixième niveau d'imprimeur-typographe.

Dans le temps, les imprimeurs devaient composer les textes à la main et sortir les caractères de plomb un par un d'une boîte. Pour passer l'examen, mes condisciples de la classe intermédiaire et moi-même devions absolument mémoriser l'emplacement des lettres. Celles de la rangée inférieure étaient V-S-C, suivies d'un caractère appelé cadratin, ou espace, suivi des lettres E-R. Nous nous souvenions de ces emplacements par le moyen mnémotechnique suivant : « Vomir Sous les Cadratins Et Ruer ! »

Avec l'avènement des ordinateurs, mon aide-mémoire, et les ateliers de typographie, sont devenus obsolètes. Bien sûr, le monde a beaucoup changé depuis ma scolarité. Personne n'enseigne plus la typographie traditionnelle. En revanche, les classes de mathématiques sont restées à peu près les mêmes, et, en qualité d'investisseurs, il est important de nous en souvenir.

En effet, pour que la formule magique nous fasse gagner de l'argent sur le long terme, les principes qui la régissent doivent être sensés et logiques, mais aussi intemporels. S'il en était autrement, comment "tenir" devant des résultats médiocres à court terme? Si évident que cela puisse paraître, savoir que deux et deux font quatre est un puissant concept. Ni la désapprobation de certaines personnes, aussi intelligentes soient-elles, ni leur insistance, ne nous feront renoncer à notre conviction. Notre degré de confiance dans la formule magique déterminera notre force à maintenir une stratégie à la fois impopulaire et inefficace pendant des périodes apparemment longues.

La formule magique sélectionne des sociétés au moyen d'un système de classement. Les sociétés qui ont à la fois un fort retour sur le capital investi et un rendement élevé se trouvent ainsi en tête de liste. Plus simplement, la formule nous aide à dénicher les sociétés qui sont *au-dessus* de la moyenne et qu'on peut acheter à des cours *au-dessous* de la moyenne.

Ce procédé semble logique et sensé. Si nous l'appliquons vraiment, alors nous pourrons vraiment croire en cette stratégie. Analysons-la pas à pas.

Qu'ont de spécial les sociétés qui présentent un fort retour sur le capital investi? Quel type de sociétés la formule nous incite-t-elle à acquérir? Qu'est-ce qui les place au-dessus de la moyenne? Autant de questions que notre vieil ami Jason va nous aider à éclaircir.

L'année dernière fut, comme vous vous en souvenez, plutôt clémente pour le commerce de Jason. Chacune de ses boutiques a gagné 200 000 $. Comme il lui suffisait d'investir 400 000 $ pour ouvrir une boutique (avec le stock, les aménagements, etc.), le retour sur le capital d'une boutique était donc de 50 %.

Il est exceptionnel de trouver un investissement qui atteigne 50 % de retour sur capital. Si les résultats de l'année précédente donnent une idée juste du futur, et si la société de Jason peut réellement gagner 50 % chaque année grâce à une boutique supplémentaire, cela fait de son enseigne un commerce florissant. Réfléchissez-y. Avoir l'opportunité d'un placement rapportant 50 % par an est plutôt rare. Même s'il n'y a aucune garantie qu'une nouvelle boutique de Jason (ou que les anciennes) rapportera chaque année 50 % de son coût d'installation, les résultats élevés de l'an dernier constituent un bon indicateur et laissent espérer un bénéfice considérable à l'avenir.

Si tout cela est vrai et si « La Boutique de chewing-gum de Jason » peut continuer à engendrer des bénéfices élevés dans les anciennes comme dans les nouvelles boutiques, c'est une très bonne nouvelle pour notre ami. D'abord, il va pouvoir se développer. « La Boutique de chewing-gum de Jason » pourrait investir tous ses gains dans des obligations d'État contre un intérêt de 6 % annuel, mais il y a une meilleure solution. La société peut investir ses bénéfices dans une nouvelle boutique. Ainsi, non seulement l'investissement initial de la première boutique continuera à rapporter 50 % par an, mais, en plus, cet investissement permettra à une nouvelle boutique de gagner à son tour 50 % par an !

Cette possibilité d'investir les bénéfices avec une rentabilité élevée est très profitable. Détaillons. Si « La Boutique de chewing-gum de Jason » gagne 200 000 $ par an, Jason peut distribuer cet argent aux actionnaires (qui peuvent alors l'investir où ils souhaitent). Si les affaires se maintiennent pendant l'année en cours, « La Boutique de chewing-gum de Jason » gagnera à nouveau 200 000 $ l'année suivante. Ce qui sera déjà bien.

Si, au lieu de cela, Jason investit ses 200 000 $ dans des obligations d'État qui rapportent 6 % (3,6 % après impôt), sa société gagnera 207 200 $ cette année (200 000 $ de la boutique et 7 200 $ de dividende des obligations après impôt). Bien que le bénéfice soit meilleur que l'année précédente, le taux de croissance des bénéfices reste peu élevé.

Par contre, si Jason utilise ces mêmes 200 000 $ de profit pour les investir dans une nouvelle boutique qui fera des bénéfices de 50 % par an[1], les bénéfices de « La Boutique de chewing-gum de Jason » seront de 300 000 $ pour l'année en cours (200 000 $ de la boutique initiale et 100 000 $ de plus de l'investissement dans la nouvelle boutique). Passer de 200 000 $ à 300 000 $ en une année représentera un taux de croissance des bénéfices de 50 % par an ! En d'autres termes, posséder une société qui a la possibilité d'investir tout ou partie de ses bénéfices avec un taux très élevé de retour sur le capital investi peut contribuer à une croissance élevée du bénéfice.

---

1. Nous supposons dans cet exemple que l'on peut investir dans la moitié d'une boutique (bien qu'une boutique coûte 400 000 $).

Désormais, nous savons deux choses importantes sur les sociétés qui présentent un fort taux de retour sur le capital investi. En premier lieu, elles peuvent à leur tour investir leurs profits avec un fort taux de retour sur le capital investi. Comme la plupart des personnes et des sociétés n'obtiennent que des taux de profit moyens, cette faculté est remarquable. En second lieu, comme nous venons de l'apprendre, un fort taux de retour sur le capital investi peut contribuer à un taux de croissance élevé des profits : une bonne nouvelle pour les sociétés sélectionnées par la formule magique.

Reste un point évident. Le commerce de Jason étant manifestement florissant, il est fort probable que quelqu'un flaire la bonne affaire et décide d'ouvrir son propre magasin de chewing-gum. Il entrerait en concurrence directe avec notre ami, qui serait obligé de baisser ses prix pour attirer les clients. Pour résumer, plus de concurrence pourrait impliquer moins de bénéfices pour « La Boutique de Jason ».

C'est ainsi que le système capitaliste fonctionne : de bonnes affaires attirent la concurrence. Et, l'ouverture de nouvelles boutiques concurrentes, ainsi que la baisse à 40 % du retour sur le capital investi pour chaque nouvelle boutique de Jason ne sont pas les seules menaces qui risquent de s'abattre sur ses futurs profits.

Gagner 40 % est encore satisfaisant. De nouveaux concurrents peuvent, attirés par les 40 % de profit annuel, décider d'ouvrir leurs propres boutiques. Et, face à une concurrence accrue, les bénéfices peuvent s'effriter jusqu'à 30 % par an.

Même à ce niveau, la concurrence pourrait continuer à faire rage. Gagner 30 % par an sur un investissement est également un excellent taux. Plus de concurrence réduirait encore les futurs retours sur le capital investi dans les nouvelles boutiques comme dans les anciennes, générant une spirale descendante des profits, jusqu'à ce que le retour sur le capital investi devienne minime. Le système capitaliste fonctionne de cette façon !

Mais voici le point crucial. Si le système capitaliste est si rude, comment la formule magique peut-elle encore trouver avec comme premier critère des sociétés capables d'obtenir un retour sur le capital investi élevé ? Pour avoir un retour élevé sur le capital investi, même pendant un an, il faut, au moins temporairement, un environnement propice. Sans quoi la concurrence aurait déjà tiré vers le bas le taux de retour sur le capital investi.

Il est possible que la société ait un concept relativement nouveau (par exemple, une boutique de confiserie qui vend uniquement du chewing-gum), un nouveau produit (un jeu vidéo à la mode), un meilleur produit (un iPod, par exemple, plus petit et plus facile à utiliser que les produits de la concurrence), une bonne marque commerciale (les gens acceptent de payer plus pour Coca-cola que pour Joe's Cola, si bien que Coca Cola peut vendre plus cher que Joe's Cola, et maintenir un fort taux de retour sur le capital investi malgré la concurrence), ou une meilleure position concurrentielle (eBay – l'un des tout premiers sites d'enchères sur Internet – a plus d'acheteurs et de vendeurs que n'importe qui, de sorte qu'il est très difficile aux concurrents de proposer les mêmes avantages clients).

En bref, *les sociétés réalisant un taux de retour sur le capital investi élevé possèdent, selon toute vraisemblance, un avantage particulier. Cet avantage empêche les concurrents de détruire leur capacité à réaliser des profits au-dessus de la moyenne.*

Les sociétés qui n'ont pas ce quelque chose de spécial (comme un produit nouveau ou meilleur, des marques ayant une forte notoriété ou un avantage concurrentiel fort) ont toutes les chances de réaliser des retours sur le capital investi moyens, ou au-dessous de la moyenne. Si rien de spécial ne favorise une société, elle sera fragilisée à moyen terme par une société concurrente. Si une société réalise un fort taux de retour sur le capital investi et se trouve sur un terrain facile à concurrencer, quelqu'un finira forcément par le faire. Et les concurrents pulluleront jusqu'à ce que le retour sur le capital investi soit ramené à des taux moyens.

Mais la formule magique ne désigne pas les sociétés dont le retour sur le capital investi est moyen ou au-dessous de la moyenne. (Des sociétés comme « Des Brocolis et rien d'autre » ne peuvent avoir un taux de retour élevé sur le capital investi, même pendant un an !)

*En éliminant les sociétés qui réalisent des retours sur le capital investi ordinaires ou médiocres, la formule magique se concentre sur un ensemble de sociétés qui ont un fort retour sur le capital investi.*

Bien entendu, certaines des sociétés sélectionnées par la formule magique ne seront pas en mesure de maintenir un fort taux de retour sur capital. Comme nous venons de le voir, les activités qui bénéficient d'un fort taux de retour sur capital tendent à attirer la concurrence. Quant aux sociétés "médiocres", elles peuvent, pendant un an ou deux, réaliser un fort taux de retour sur le capital investi. Mais, en moyenne, les sociétés avec un fort retour sur capital sont plus à même de réinvestir leurs profits avec un fort taux de retour sur capital, d'atteindre un fort taux de croissance de leurs profits et de disposer d'un avantage compétitif qui leur permettra de continuer à réaliser un taux de retour élevé sur le capital investi. En d'autres termes, *sur un échantillon assez important, la formule magique nous permet de trouver les bonnes sociétés.*

Et que fait la formule magique de cet ensemble de sociétés ?

Elle essaie de les acheter à des prix bradés !

La formule choisit uniquement les bonnes sociétés à fort rendement, donc les sociétés qui gagnent beaucoup par rapport à leurs cours.

Hum… *acheter des sociétés au-dessus de la moyenne à des cours au-dessous de la moyenne,* voilà qui a l'air encourageant !

Cela vous intéresse ?

**Résumé du chapitre :**

1. La plupart des personnes et des sociétés ne peuvent trouver des investissements qui réalisent une profitabilité élevée. Une société qui a une profitabilité élevée est exceptionnelle.

2. Les sociétés qui réalisent un retour élevé sur le capital investi ont la possibilité d'investir leurs profits à un taux élevé. Cette capacité a beaucoup d'importance.

3. Les sociétés qui réalisent un retour élevé sur le capital investi ont, en général, un avantage certain sur les autres, ce qui les prémunit de leurs concurrents et leur permet de maintenir un taux de croissance des bénéfices supérieur à la moyenne.

4. En éliminant les sociétés qui réalisent des retours sur le capital investi ordinaires ou médiocres, la formule magique se concentre sur un ensemble de sociétés ayant un fort retour sur le capital investi. Elle essaie ensuite d'acheter ces sociétés à un cours au-dessous de la moyenne.

5. Du fait de la puissance écrasante de la formule magique, nous devrions la suivre, dans les bonnes comme dans les mauvaises périodes.
Et, finalement,

6. Si vous voulez vomir sous les cadratins, n'oubliez pas de ruer !

# CHAPITRE X

J'adore naviguer, mais je ne suis pas très bon marin. Non seulement ma femme et mes enfants ne sont pas très rassurés avec moi, mais je le sais aussi par expérience. Un jour, à la suite d'un mauvais calcul de la vitesse du vent et de celle du courant, j'ai failli – à six mètres près – être percuté par une barge longue comme trois terrains de football. Je me souviens bien de cet épisode, car ma femme m'accompagnait (de toute façon, elle déteste le bateau) : je tirais frénétiquement sur le cordon du démarreur du petit moteur hors-bord de cinq chevaux (ce satané engin ne fonctionne jamais lorsqu'on en a le plus besoin), tandis que la corne de brume de la barge géante hurlait pour me faire quitter son chenal. En principe, les voiliers ont priorité sur les bateaux à moteur, mais, comme les barges de quatre mille tonnes ne manœuvrent pas assez vite, cette règle n'est pas appliquée (ce qui est bon à savoir dans ce genre de situation). Nous étions à dix secondes de la collision ; je m'acharnais sur le cordon en feignant de contrôler la situation (afin que les derniers mots de ma femme ne soient pas : « Je te hais, stupide bateau ! ») lorsqu'une risée opportune nous tira d'affaire.

Je vous raconte cette anecdote car, bien que je sois piètre marin, j'adore naviguer. Nombre de gens qui investissent en Bourse n'y brillent pas, ignorent s'ils sont bons ou mauvais, mais ils aiment cela. Pour certains, investir en utilisant une formule magique leur ôtera une partie de ce plaisir. Je les comprends. D'autres sont doués et préfèrent sélectionner par eux-mêmes les bonnes valeurs. Le chapitre suivant proposera à ces deux groupes des solutions pour réussir seuls dans le choix d'actions. Ils y trouveront aussi les principes qui régissent la formule magique et qui peuvent être employés pour orienter leurs décisions d'investissement. Mais, avant de décider d'utiliser ou non la formule, il vous reste encore plusieurs choses à savoir.

Tout d'abord, la formule magique obtient de meilleurs résultats que je ne l'ai laissé entendre. J'ai caché cette heureuse nouvelle pour une bonne cause. Son bilan satisfaisant ne constitue pas la raison d'utiliser la formule magique. Le passé n'induit pas l'avenir. Lorsque les faits seront contre vous, il faudra une forte conviction pour vous en tenir à la formule : comprendre pourquoi les résultats sont bons. Si vous êtes convaincus que la formule magique est parfaitement conçue, je peux vous garantir que vous n'en serez pas la victime.

La formule magique a été testée sur une période récente de dix-sept ans. Un portefeuille d'environ trente actions, sélectionnées par la formule magique, a été conservé pendant toute cette durée. Chaque année, la formule magique a été à nouveau appliquée : les actions qu'elle ne sélectionnait plus ont été vendues et remplacées par de nouvelles élues. Les performances ont été mesurées sur 193 périodes d'un an[1]. Le portefeuille d'actions choisies par la formule magique a battu le plus souvent les moyennes du Marché, sauf sur quelques périodes d'une, de deux, voire de trois années. Ces exceptions tendent à inciter les investisseurs à abandonner la formule avant même que sa magie ait une chance d'opérer.

Comme nous l'avons noté, sur des périodes d'une année, les portefeuilles d'actions obtenus grâce à la formule magique ont sous-performé les moyennes du Marché un an sur quatre. En suivant la formule magique deux années consécutives (commençant à n'importe quel mois au long des dix-sept ans), la formule magique a, sur les six testées, sous-performé le Marché une seule année. Souvenez-vous que sous-performer durant deux années consécutives est plutôt difficile à supporter ! Mais voici la bonne nouvelle. Si l'on suit la formule magique trois années consécutives, la formule magique bat les moyennes du Marché dans 95 % des cas (160 périodes de trois ans sur 169 testées)[2] !

---

1. La performance a été mesurée de janvier 1988 à janvier 1989, puis de février 1988 à février 1989, puis de mars 1988 à mars 1989, et ainsi de suite, pendant 193 périodes d'un an se terminant le 31 décembre 2004. On se réfère à ce suivi par l'expression « quatre-vingt-treize périodes glissantes d'un an ». Mesurer des périodes glissantes de trois ans reviendrait à mesurer la performance de janvier 1988 à janvier 1991, puis de février 1988 à février 1991, etc.

2. Il y a moins de périodes de trois ans que de périodes d'un an parce que la dernière période de trois ans testée a commencé en janvier 2002 et s'est achevée le 31 décembre 2004. La dernière période d'un an a commencé en janvier 2004.

Ce n'est pas tout : durant ces périodes de trois ans, si vous aviez suivi la formule magique, vous n'auriez jamais perdu d'argent. En s'en tenant à la formule magique pendant n'importe laquelle des périodes de trois ans au cours de ces dix-sept années, nous aurions fait un bénéfice dans 100 % des cas (169 sur 169 périodes de trois ans).[1] Au cours des 169 intervalles pendant les trois années testées, le *gain* le plus minime obtenu par la formule a été de 11 %, alors que le Marché, pendant la même période, a accusé une *perte* de 46 %. Jolie différence !

Or ces chiffres, déjà éloquents, sont fondés sur les résultats obtenus en partant des 1 000 plus grosses sociétés (dont la capitalisation boursière est supérieure à un milliard de dollars). Sur la base des 3 500 plus grosses sociétés (capitalisation supérieure à 50 millions de dollars), que les investisseurs individuels peuvent également acheter, les résultats sont encore meilleurs. *Chaque* période de trois ans testée (169 sur 169) a été positive pour les portefeuilles de la formule magique, et *chaque* période de trois ans *a battu les moyennes du Marché* (169 sur 169). Oui, la formule magique bat les moyennes du Marché à tous les coups. Après tout, peut-être y a-t-il quelque chose de magique dans cette formule !

Peut-on vraiment espérer atteindre de tels résultats sans prendre beaucoup de risques ? La réponse dépend souvent de la façon d'envisager le risque. Depuis une

---

1. En d'autres termes, pendant les dix-sept années de la période testée, les portefeuilles de la formule magique ont été constamment profitables, même quand ils ne battaient pas le Marché.

cinquantaine d'années, des économistes proposent des méthodes pour mesurer ou comparer les risques inhérents aux différentes stratégies d'investissement, mais elles n'auraient guère de sens pour vous, surtout si vous choisissez d'investir à long terme. Seules deux questions méritent d'être posées :

1. Quel est le risque de perdre de l'argent en suivant une stratégie à long terme ?

2. Quel est le risque que la stratégie adoptée réalise une performance inférieure à celle des stratégies alternatives ?

Comment la formule magique se situe-t-elle par rapport à cette définition du risque ?

Il est relativement facile de concevoir une stratégie d'investissement qui égale les performances moyennes du marché[1] (et pourtant, comme nous l'avons vu, la plupart des investisseurs professionnels n'y parviennent pas) ; nous pouvons, au moins, comparer cette stratégie à la formule magique.

Sur l'ensemble de notre période de tests, et même sur une période relativement courte de trois ans, la formule magique a donné de bons résultats puisque les profits engendrés grâce à elle ont été largement supérieurs à ceux des méthodes cherchant à égaler les moyennes du Marché. La formule magique n'a *jamais* perdu d'argent[2].

---

1. Par exemple, un investissement dans un fonds indiciel ou un fonds d'arbitrage.

2. Les moyennes du Marché ont perdu de l'argent dans 12 % des périodes de trois ans testées. Naturellement, malgré le taux de réussite de 100 % de la formule magique pendant la période testée, il est presque certain que la stratégie de la formule magique aura, dans l'avenir, des périodes de performance négative.

La formule magique bat les moyennes du Marché au cours de presque toutes les périodes de trois années testées. En bref, elle assure des résultats meilleurs avec moins de risques que la stratégie des moyennes du Marché.

Donc, se tenir à la stratégie de la formule magique pendant trois ans permet l'obtention de bons résultats; mais cela peut ne pas être toujours le cas. Même des stratégies d'investissement excellentes peuvent nécessiter une certaine durée avant de démontrer leur efficacité. Si l'une d'entre elles est vraiment pertinente, plus on se tient à un large horizon d'investissement, meilleures sont les chances de succès. Cinq, dix ou même vingt ans sont des délais idéaux.

Certes, il n'est guère facile de maintenir trois à cinq ans des placements en Bourse, mais cela procure un net avantage sur la plupart des investisseurs. C'est la durée minimale pour effectuer une comparaison pratique des risques et des résultats entre notre stratégie d'investissement et les autres.

Nous cernons désormais la puissance et le faible risque de la formule magique, mais un problème reste à résoudre avant de passer au chapitre suivant. Ce problème concerne notre vieil ami Monsieur LeMarché, et le maintien d'un horizon de temps approprié.

Souvenez-vous du premier jour de classe à l'école de commerce (chapitre IV) où j'expliquais que l'humeur versatile de Monsieur LeMarché crée des occasions d'achat à bas prix que la formule magique peut utiliser à son avantage. Or ce climat crée aussi une conjoncture aléatoire. Si Monsieur LeMarché est une girouette, comment pouvons-nous être sûrs qu'il finira par nous racheter les actions à un bon prix ? Si nous n'en obtenons pas un bon prix de Monsieur LeMarché, il sera impossible de les revendre.

Il est un autre facteur que vous devez connaître à propos de Monsieur LeMarché :

Sur le court terme, Monsieur LeMarché agit comme une personne instable qui peut acheter ou vendre des actions à des cours déprimés ou excessifs.

Sur le long terme, c'est totalement différent : Monsieur LeMarché a toujours raison.

Nous y voilà. Ce fou de Monsieur LeMarché est en réalité un personnage très rationnel. Cela peut prendre quelques semaines ou quelques mois, mais, sur le long terme, Monsieur LeMarché paiera un prix honnête pour nos actions. Au début de chaque semestre, la véritable garantie que je donne à mes étudiants de MBA est que, s'ils font un bon travail d'évaluation d'une société, Monsieur LeMarché finira par être d'accord avec eux. Je leur assure que si leurs analyses sont correctes, au bout de deux ou trois ans, en général, Monsieur LeMarché récompensera leurs prix d'achat bradés par des prix loyaux et normaux.

S'il est vrai que Monsieur LeMarché peut être, sur le court terme, influencé par son humeur, dans le temps, la réalité reprend ses droits. Si, à court terme, le cours d'une action a été abusivement massacré par Monsieur LeMarché (cela peut arriver, par exemple, lorsqu'une société s'apprête à annoncer une mauvaise nouvelle), plusieurs événements peuvent se produire.

En premier lieu, il y a des petits malins dans le circuit. Si le cours proposé par Monsieur LeMarché constitue réellement une opportunité, certains achèteront l'action, et ramèneront le cours aux environs du cours habituel. Ce phénomène n'est pas forcément immédiat. D'autres fois, des incertitudes relatives aux perspectives d'une société rebutent les acheteurs potentiels. Cela peut durer des années : là est justement le point important. Au final, le problème est résolu et la raison de la tension s'éclipse. Qu'elles soient fondées ou pas, cela n'a pas d'importance. Si une incertitude plane sur les profits d'une société pour les deux ou trois années à venir, attendre suffisamment de temps permet de clarifier la situation. Dès que la réalité est reconnue, les investisseurs avisés achèteront l'action si l'occasion d'achat à prix bradé se présente toujours.

En second lieu, même si les soi-disant investisseurs "avisés" n'identifient pas la bonne affaire et n'achètent pas le titre, d'autres voies existent. Souvent, les sociétés rachètent elles-mêmes leurs propres actions. Si une société estime que ses actions sont sous-évaluées, elle peut réaliser un bon investissement en utilisant ses liquidités pour racheter quelques-unes de ses propres actions[1]. Cela constitue un autre facteur de la hausse des cours et élimine les occasions d'achat à prix bradé.

---

1. Cette opération a comme résultat de réduire les liquidités de la société, mais également de réduire le nombre d'actions inscrites. Si la propriété de la société est répartie sur un nombre d'actions moindre, chaque actionnaire restant aura une plus grande part d'intérêt dans la société.

Si tout cela reste sans effet, il existe encore d'autres mécanismes grâce auxquels les actions peuvent retrouver leur cours normal. Souvenez-vous : une action représente une fraction de la propriété d'une société réelle. Un investisseur qui achèterait toutes les actions deviendrait propriétaire de la totalité de l'entreprise. Souvent, si une occasion d'achat s'éternise, une autre société, ou un puissant groupe d'investissement, peut décider de faire une offre d'achat pour l'ensemble des actions inscrites, proposant ainsi d'acquérir la société entière (c'est ce que l'on appelle une *OPA* ou Offre Publique d'Achat). Parfois, même la simple éventualité qu'une OPA survienne peut faire remonter le cours au prix normal.

En bref, avec le temps, l'interaction de tous ces types d'événements – investisseurs avisés en quête de bonnes occasions, sociétés rachetant leurs propres actions, rachat partiel ou possibilité de rachat de la totalité de la société – contribue à faire monter le cours vers son niveau normal. Ce processus peut être rapide ou prendre plusieurs années.

*Malgré le fait que, sur le court terme, Monsieur LeMarché puisse fixer le cours en fonction de son humeur, c'est la véritable valeur de la société qui devient, sur le long terme, importante à ses yeux. Ce qui signifie que, si vous achetez des actions à un cours que vous croyez être bradé et que vous avez raison, Monsieur LeMarché sera d'accord avec vous et vous proposera finalement de vous les racheter au cours normal. En d'autres termes, les achats à prix bradé seront récompensés. Deux ou trois ans suffisent habituellement pour que Monsieur LeMarché rétablisse la situation.*

Maintenant que nous avons assimilé toutes ces bonnes nouvelles, voyons si nous pouvons naviguer à travers le chapitre suivant sans obstacle.

### Résumé du chapitre :

1. La formule magique fonctionne. Elle fonctionne même mieux que je ne l'avais dit jusqu'ici.

2. La formule magique obtient de bien meilleurs résultats, avec beaucoup moins de risques, que les moyennes du Marché.

3. Bien que sur le court terme Monsieur LeMarché fixe les cours des actions sur une base subjective sur le long terme, Monsieur LeMarché fixe les cours en fonction de leur *valeur*.

4. Si vous ne pouvez pas « vomir sous les cadratins », essayez de naviguer avec moi.

# CHAPITRE XI

Ainsi, la formule magique n'est pas votre tasse de thé ? Forte profitabilité, risque réduit, simplicité ne signifient rien pour vous ? Vous voulez, vous avez besoin de sélectionner vos actions tout seul ! Personne, et surtout pas une stupide formule, ne viendra contrecarrer votre méthode. Vous êtes obstiné : nul ne se substitue à vous. Du calme. Je suis d'accord avec vous, mais souvenez-vous de ceci : choisir une action au hasard, c'est comme courir dans une poudrière avec une allumette enflammée. On peut survivre, mais agir de la sorte relève de l'inconscience.

Comment choisir des actions de façon intelligente ? Que doit-on chercher ? Même si vous préférez ne pas suivre à la lettre la formule magique, comment néanmoins l'utiliser pour éviter un grave accident ? Merci d'avoir posé la question. Voyons comment les choses se présentent.

Comme nous le savons, la formule magique sélectionne des actions qui présentent à la fois une rentabilité élevée et un fort retour sur le capital investi. Pour la rentabilité, la formule recherche des sociétés qui gagnent beaucoup par rapport au prix que *nous* devons payer. Pour le retour sur le capital investi, la formule recherche des sociétés qui gagnent beaucoup par rapport à ce que la *société* doit payer afin de créer l'outil de production qui apportera ces gains. En calculant ces ratios, la formule magique ne se préoccupe pas des bénéfices futurs puisqu'elle utilise les bénéfices du dernier exercice clos.

Ce qui est drôle, c'est que cette méthode ressemble à celle qu'il ne faut pas suivre, car la valeur d'une société résulte de ses bénéfices futurs et non pas de ceux passés. Si une société a gagné 2 $ par action l'année dernière, mais ne gagne qu'un dollar cette année, et encore moins dans l'avenir, se fonder sur les chiffres de l'année écoulée constitue une sérieuse erreur. Et pourtant, c'est ce que fait la formule magique !

En réalité, il arrive souvent que les perspectives à moyen terme des sociétés sélectionnées par la formule magique ne soient pas très bonnes. Dans de nombreux cas, les prévisions pour l'année en cours ou les deux années suivantes sont carrément affreuses. Or c'est la raison pour laquelle la formule magique peut dénicher des sociétés dont le cours ressemble à une bonne affaire. La formule magique s'appuie sur les chiffres de l'année précédente, car si elle utilisait les chiffres de cette année ou de l'année prochaine, beaucoup de sociétés sélectionnées par la formule magique n'apparaîtraient plus comme des bonnes affaires !

Alors que faut-il faire ? Idéalement, plutôt que d'utiliser aveuglément les chiffres de l'année précédente, nous devrions utiliser ceux d'une année normale[1]. Naturellement, l'année dernière peut très bien avoir été normale, mais pas forcément. Les bénéfices peuvent avoir été supérieurs à la normale par suite de circonstances favorables inhabituelles. À l'inverse, la société peut avoir été perturbée par des problèmes temporaires et dégager des bénéfices inférieurs à ceux d'une année normale.

Introduire les estimations de bénéfice de l'année prochaine dans notre formule magique soulèverait les mêmes problèmes. L'année prochaine peut ne pas être représentative. Une solution acceptable consisterait à se projeter plus loin dans l'avenir, afin d'évaluer le bénéfice à trois ou quatre ans dans un environnement normal ou moyen. L'incidence de difficultés passagères qui pourraient avoir affecté le bénéfice de l'an dernier ou ceux de l'année à venir serait ainsi éliminée. Dans ce monde idéal, nous serions en mesure de déterminer un bénéfice "normal" et de calculer la rentabilité et le retour sur le capital investi. Grâce à la formule magique, nous pourrions rechercher les sociétés qui présenteraient à la fois une forte profitabilité et un retour sur capital élevé établis à partir d'un bénéfice normal. Naturellement, il faudrait établir la fiabilité de notre estimation et estimer la croissance du bénéfice dans l'avenir[2]. Il conviendrait alors de comparer la rentabilité

---

1. Une année normale est une année au cours de laquelle rien d'extraordinaire ni d'inhabituel n'est survenu dans la société, dans son secteur économique, ou dans l'ensemble de l'économie.

2. Ainsi que la qualité de l'équipe de direction capable de réinvestir efficacement ses bénéfices.

calculée à partir du bénéfice normal avec celle d'un placement sans risque à 6 % dans une obligation d'État ou toute autre possibilité de placement.

Cela vous semble difficile ? Certes, mais ce n'est pas impossible. Des professionnels sont en mesure de mener à bien ce type d'analyses. C'est d'ailleurs précisément la manière dont mes associés et moi-même utilisons les principes qui justifient la formule magique pour conduire à des décisions d'investissement. Bien sûr, le savoir ne vous avance guère (et c'est là le point principal de ce chapitre) : vous n'avez pas une équipe d'analystes à votre service !

Oubliez donc tout ça.

Mais, attendez ! La formule magique fonctionne plutôt bien en s'appuyant sur les résultats de l'année passée. Elle ne fait aucune estimation. Bien mieux, elle ne pense pas. Comment se fait-il que la formule magique parvienne à sélectionner des actions alors que je vous conseille d'oublier l'idée de le faire par vous-même ?

La réponse est simplement que la formule magique ne sélectionne pas d'actions individuelles. Elle désigne un grand nombre d'actions d'un seul coup. Lorsqu'on observe un portefeuille global d'actions, il se trouve que les bénéfices de l'année précédente constituent une bonne base pour prévoir les bénéfices à venir. Bien entendu, pour une société isolée, cela peut ne pas être le cas. Mais, en moyenne, les bénéfices de l'année précédente fournissent statistiquement une estimation plutôt correcte des gains normaux pour l'avenir.

C'est pourquoi, si on applique concrètement la formule magique, il nous faudra acquérir simultanément vingt ou trente actions pour fixer une moyenne (c'est-à-dire la rentabilité moyenne d'un portefeuille d'actions sélectionnées au moyen de ladite formule). Comme les résultats moyens signifient, selon la formule, la promesse d'un retour sur investissement extraordinaire, devenir propriétaire d'un nombre important d'actions différentes, triées par la formule magique, devrait permettre de rester à un niveau proche de cette moyenne.

Jusqu'à présent, j'espère avoir convaincu 99 % d'entre vous d'appliquer strictement la formule magique. Pour ceux qui espèrent encore développer une autre méthode gagnante pour débusquer des actions individuelles, sachez qu'élaborer des prévisions exactes des profits d'une seule société est une tâche ardue pour les experts, analystes ou gestionnaires financiers. Imaginez ce qu'il en est lorsqu'il s'agit d'évaluer simultanément vingt ou trente entreprises. Et cela ne sera pas plus aisé pour vous.

Aussi, voici ce que je suggère. Si vous souhaitez toujours acheter des actions isolées malgré tous ces avertissements, ne vous lancez pas dans un grand nombre de prévisions. Limitez votre investissement en actions à un nombre réduit de "bonnes" valeurs accessibles à des prix attractifs. Pour les quelques investisseurs capables d'estimer des profits normaux plusieurs années à l'avance et de définir la valeur des sociétés, détenir une poignée d'actions achetées à des prix bradés est la meilleure méthode. En règle générale, si vous arrivez à une estimation correcte et si vous parvenez à une connaissance fouillée des sociétés dont vous détenez des actions, cinq ou huit valeurs dans des secteurs différents constitueront presque sûrement 80 % de votre portefeuille total.[1]

Mais que se passe-t-il si vous n'êtes un expert ni dans l'évaluation des entreprises ni dans l'établissement de prévisions? Quelle est la meilleure méthode pour sélectionner intelligemment des actions individuelles? Il existe une stratégie qui constitue un bon compromis et qui a du sens. Mais, ici aussi, vous aurez besoin de la formule magique.

La solution est la suivante. Plutôt que de choisir à l'aveuglette des actions, ou d'accepter tels quels les résultats de la formule magique, pourquoi ne pas combiner les stratégies? Pourquoi ne pas extraire vos favorites, selon la méthode de votre choix, parmi les sociétés sélectionnées par la formule magique? Cependant, prenez soin de choisir dans une liste assez large de cinquante ou cent actions ordonnées par la formule magique[2]. Avec cette méthode, vous allez placer dix à trente actions dans votre portefeuille. (N'hésitez pas à choisir les sociétés du bas de la liste – les moins bien "notées" – si vous êtes réellement en mesure d'évaluer correctement les entreprises ou à celles du début – les mieux "notées", si votre principale méthode d'estimation est l'astrologie.)

---

1. Vous n'êtes pas convaincu? Reportez-vous à l'encadré à la fin du chapitre.

2. N'ayez aucun souci, nous apprendrons très vite comment générer facilement une liste de sociétés à l'aide de la formule magique.

**Résumé du chapitre :**

1. La plupart des gens ne peuvent pas disposer d'une structure spécialisée dans l'analyse des entreprises.

2. Relisez le premier point de ce résumé.

3. Mais si vous préférez, ou si vous pouvez effectuer des prévisions de bénéfices sur plusieurs années, utilisez ces prévisions pour chiffrer le rendement des actions et le retour sur le capital investi. Ensuite, faites appel aux principes de la formule magique pour déterminer quelles sont les bonnes sociétés à des prix attractifs.

4. Si vous comprenez vraiment le fonctionnement des sociétés dont vous possédez des actions, et si vous avez confiance en vos estimations, un portefeuille de cinq à huit valeurs à prix bradé, dans des secteurs économiques diversifiés, est suffisant pour une stratégie efficace d'investissement.

5. La majorité des particuliers n'ont pas la capacité de sélectionner personnellement des actions individuelles. (Ai-je déjà mentionné ce point ?)

Posséder seulement cinq à huit actions différentes permet-il de constituer une stratégie sûre ? Réfléchissez-y de la façon suivante.[1] Supposez que vous êtes un homme d'affaires qui bénéficie d'un succès local et qui vient de vendre sa société pour un million de dollars. Vous voulez réinvestir ce capital afin d'en retirer une rentabilité élevée et assurée sur le long terme. Il vous est possible d'acheter, par exemple, une participation dans d'autres sociétés de la ville. Vous en connaissez une trentaine, et votre stratégie est d'investir dans celles que vous comprenez vraiment, qui ont un avenir prometteur et dont les actions sont à un prix raisonnable.

Étudiant les sociétés auxquelles vous faites le plus confiance, vous estimez les bénéfices normaux pour les années à venir. Vous recherchez aussi des sociétés capables de poursuivre leur activité pendant de nombreuses années et qui seront à même d'accroître leurs bénéfices dans la durée. Puis, vous calculez le rendement et le retour sur le capital investi pour chacune d'elles. Bien entendu, votre but est de repérer de bonnes affaires, celles qui peuvent être achetées à des prix attractifs. Sur la base de vos estimations, vous sélectionnez vos cinq sociétés favorites et vous

---

1. J'ai emprunté cette analogie à l'un des plus célèbres investisseurs mondiaux.

investissez 200 000 dollars dans chacune d'entre elles.

Cette conduite est-elle risquée? Oui, si vous n'avez aucune idée de la façon d'interpréter les états financiers ou d'évaluer la valeur des sociétés. Mais si vous avez cette capacité, cinq sociétés suffisent-elles? Ne vaudrait-t-il pas mieux investir dans les quinze meilleures? Je pense que la plupart des personnes, surtout celles qui conçoivent l'achat d'actions comme des investissements à long terme, considèrent que répartir ce million de dollars dans cinq ou huit bonnes affaires, issues de secteurs économiques divers, est une conduite prudente.

En ce qui concerne mon portefeuille d'investissement, telle est mon approche. Plus j'ai confiance en chacun de mes choix individuels, moins j'ai besoin d'avoir de nombreuses sociétés dans mon portefeuille pour me sentir serein. Cependant, la plupart des investisseurs conçoivent l'achat d'actions et la constitution de portefeuilles d'actions différemment.

Lorsqu'on voit le cours des actions monter et baisser au gré des humeurs de Monsieur LeMarché, on commence à réfléchir et à mesurer le risque. En introduisant des prévisions à court terme et des statistiques compliquées, posséder un nombre important d'actions de sociétés, même de celles dont on sait peu de choses, n'est pas forcément plus sûr que posséder des intérêts dans seulement cinq ou huit sociétés dont les bénéfices futurs sont prévisibles, et dont les cours d'achat ont représenté de bonnes affaires. En bref, pour ceux qui ont la capacité, le savoir et le temps de prévoir les bénéfices normaux, et d'évaluer des sociétés une à une, posséder un nombre limité d'actions différentes peut être plus profitable, plus sûr, et sans doute plus amusant que de se disperser dans des dizaines de valeurs.

# CHAPITRE XII

Pour une raison qui m'échappe encore, je n'ai jamais pu dévoiler à mes enfants la vérité à propos de la petite souris. Peut-être, refusais-je inconsciemment qu'ils grandissent, ou alors voulais-je encore profiter de leur innocence. Quoi qu'il en soit, je suis toujours resté muet face aux nombreuses interrogations concernant l'argent mystérieusement apparu sous l'oreiller.

À plusieurs reprises, je l'ai échappé belle. Mais, un jour, j'ai bien cru que c'en était fini lorsqu'un de mes enfants revint de l'école. (C'est effrayant toutes ces informations qui circulent dans la cour de récréation.) Apparemment, un copain, sans aucun respect pour tous mes efforts passés, avait lâché le morceau. Tandis que je faisais mon possible pour contenir ma déception, mon Sherlock Holmes de fils déclara: « Je sais qui est la petite souris ! » Mon cœur s'emballa tandis qu'il poursuivit: « C'est la maman de Billy Gordon ! »

Après avoir expliqué quel ridicule cauchemar logistique et financier ce serait pour la mère de Billy Gordon de courir le monde, chaque nuit, pour ramasser des dents et gaspiller son argent, je pus redresser la barre.

Voici pourtant un secret que je n'ai aucun problème à divulguer. À la maison, mes enfants peuvent croire en n'importe quelle histoire. Mais, concernant la Bourse, je veux qu'ils sachent une seule chose : elle est rude et déloyale. Nous devons tous, un jour, devenir adultes. Aussi est-il grand temps que vous le sachiez, vous aussi. À la Bourse, il n'y a pas de petite souris !

À la Bourse, l'argent ne va pas apparaître par magie sous votre oreiller. Personne pour vous border, pour prendre soin de vous, et personne vers qui vous tourner pour demander conseil. C'est bien simple, vous êtes seuls.

Pour bien le comprendre, allons faire un petit tour à Wall Street. Mais, avant, formulons quelques remarques. D'abord, vous avez de l'argent que vous aimeriez investir sur le long terme. Long terme, dans ce cas, signifie que vous n'aurez pas besoin de cet argent pour assumer vos dépenses courantes pendant trois à cinq ans, et, espérons-le, pour plus longtemps encore [1]. Ensuite, vous aimeriez que votre investissement vous rapporte autant que possible, mais sans prendre de risques déraisonnables. Enfin, vous avez entendu dire (et cela est généralement exact), que la Bourse offre les meilleures possibilités de forte rentabilité à long terme, et c'est donc là que vous désirez placer la majeure

---

1. Puisque Monsieur LeMarché peut faire n'importe quoi à court terme, il vaut mieux laisser, sur votre compte-courant, à la banque, l'argent dont aurez besoin pour les nécessités de la vie quotidienne. Sinon, vous pourriez être contraint de vendre à Monsieur LeMarché juste au mauvais moment. (Par exemple, quand vous aurez besoin d'argent pour vos dépenses et que Monsieur LeMarché, de mauvaise humeur, n'offrira que des cours déprimés pour vos actions.)

partie de votre argent. Très bien ! Par où commençons-nous ?

Un relais habituel est l'intermédiaire financier, proche et amical. C'est un professionnel de l'investissement dont l'activité consiste à vous guider dans votre démarche d'investissement. Il vous aidera à choisir entre les actions individuelles, les obligations, les O.P.C.V.M. (Organismes de placement collectif en valeurs mobilières), et différents autres produits financiers. Si vous disposez d'un capital suffisant, il essaiera de comprendre vos besoins, vous fera des suggestions et vous donnera des conseils.

Mais tout le problème est là. Ces intermédiaires perçoivent des commissions pour vous vendre telle ou telle action, telle ou telle obligation, ou tout autre produit financier. Ils ne sont pas payés pour vous faire gagner de l'argent. Bien entendu, leur intérêt est que vous réussissiez, mais, quoiqu'il y ait des professionnels de qualité, leur métier est de vous vendre quelque chose. Ils sont formés pour suivre des règles, comprendre le vocabulaire financier et vous éclairer sur les différents produits financiers. De là à vous faire gagner de l'argent, à la Bourse ou ailleurs, c'est une autre affaire !

Vous pourriez aussi placer votre argent dans un *fonds commun de placement*, une solution parfaite pour un petit investisseur. Un fonds commun de placement est un portefeuille administré par un gestionnaire professionnel. Ce dernier sélectionne, le plus souvent, un ensemble d'actions et d'obligations diverses, généralement de trente à deux cents valeurs différentes. Répartir son investissement sur un groupe assez large de valeurs constitue un moyen efficace pour un petit investisseur.

Là aussi, différentes questions se posent. Comme nous l'avons vu ci-dessus, il est très difficile d'avoir une connaissance approfondie des différentes sociétés. En conséquence, posséder des dizaines, voire des centaines d'actions ne conduit pas souvent à des résultats au-dessus de la moyenne. Ensuite, nous devons prendre en compte les frais de gestion reçus par les sociétés pour leurs services. Un calcul élémentaire indique qu'un résultat moyen, auquel on soustrait les commissions, donne au final un résultat au-dessous de la moyenne du Marché. Aussi n'est-il guère surprenant qu'après le prélèvement des commissions et autres frais, la plupart des fonds communs de placement, sur le long terme, ne battent pas le Marché.

Mais, c'est la vie. On peut se limiter aux fonds communs de placement qui ont un gérant de qualité. Il devrait être relativement facile de distinguer en regardant ses résultats si un gestionnaire de fonds est au-dessus de la moyenne. Mais, malheureusement, il n'y a souvent aucune corrélation entre les résultats passés et les résultats à venir. Même les sociétés de notation des fonds communs de placement (qui évaluent régulièrement la qualité des fonds) ont des succès médiocres dans la détermination de ceux qui sont susceptibles de surperformer dans l'avenir.

Les sociétés de gestion de fonds communs de placement sont rémunérées en fonction du volume de chaque fonds. Un fonds qui génère de bons résultats sur la durée attirera habituellement plus de capitaux. Il est dans l'intérêt du fonds d'accepter ces nouveaux capitaux. Dès lors que le fonds a grossi, le gérant peut rencontrer des difficultés à poursuivre sa stratégie gagnante. Un nombre limité de bonnes idées va être réparti sur un montant en capital plus élevé. Si des investissements dans de petites sociétés expliquaient partiellement l'origine de leurs bons résultats, ce ne sera plus le cas avec un fonds plus important. Il arrive aussi que des gestionnaires talentueux connaissent des passages à vide (tout comme la formule magique). À l'inverse, des gestionnaires médiocres peuvent connaître des périodes de surperformance. Distinguer les uns des autres, même sur plusieurs années, est très ardu. Je pourrais continuer, mais les faits sont les faits. De bons antécédents ne permettent pas de prévoir les résultats futurs, et choisir un bon gestionnaire n'est guère plus facile que de choisir telle ou telle action. Donc, si vous savez sélectionner par vous-même les bonnes actions, vous n'avez pas besoin d'un bon gestionnaire !

Autre possibilité : vous pourriez envisager d'investir dans un *fonds spéculatif*. Ce sont des fonds d'investissement exclusivement privés, le plus souvent réservés aux très riches investisseurs. Malheureusement, si vous n'avez pas au moins 500 000 $ à investir, il vous faut oublier cette option. Réglementairement, la plupart des fonds spéculatifs ne peuvent accepter que des investisseurs importants. Mais, même si vous vous répondez à cet honneur douteux, il n'est pas sûr qu'il s'agisse d'une solution intelligente.

Les fonds spéculatifs permettent une plus grande flexibilité que la plupart des fonds. Les gérants, pour acheter un panel de produits financiers, peuvent utiliser des fonds propres et des fonds empruntés. Généralement, ils sont en position de parier sur la hausse ou la baisse d'actions, d'obligations, ou des moyennes du Marché. La majeure partie des fonds communs de placement ne peuvent opérer que lorsque les valeurs de leur portefeuille sont en hausse. La possibilité pour un fonds spéculatif de jouer à la hausse ou la baisse sur les différentes valeurs, souvent avec un effet de levier des capitaux empruntés, est considérée comme un grand avantage par rapport aux fonds communs de placement standards. C'est possible. Mais la plupart des fonds spéculatifs pratiquent des frais de gestion exorbitants – au moins 1 % des actifs gérés *plus* 20 % des plus-values. Sans doute attirés par ces fortes commissions, des milliers de fonds spéculatifs ont été créés ces dernières années. La plupart ne justifient en rien ces frais élevés. Il n'y a pas suffisamment de bons gestionnaires, et vos chances de tomber sur l'un d'entre eux sont bien minces.

C'est la raison pour laquelle beaucoup de gens choisissent d'investir dans un *fonds indiciel*[1]. Un fonds

---

1. Ou un *fonds de change*. Ces fonds sont cotés de la même façon que les actions.

indiciel est un fonds commun de placement qui tente d'égaler l'évolution générale du marché, moins de faibles frais de gestion. Ces fonds choisissent un indice (par exemple l'indice Standard & Poors des 500 plus grosses sociétés américaines, ou l'indice Russel 2000, qui regroupe 2 000 sociétés plus petites) et achètent toutes les actions qui entrent dans la composition de cet indice. Même si cette stratégie ne vous aidera pas à battre le Marché, elle vous permettra d'obtenir une profitabilité proche des moyennes du Marché. Au bout du compte, en intégrant les commissions et autres frais, la plupart des autres modes d'investissement laissent moins de rentabilité que les fonds indiciels. Beaucoup de ceux qui ont étudié le problème sont arrivés à la conclusion que s'en tenir aux moyennes est vraiment une assez bonne alternative. En fait, sur les quatre-vingts dernières années, la profitabilité moyenne de la Bourse a été de plus de 10 % par an. Pas si mal !

Mais que faire si vous voulez obtenir mieux que la moyenne ? Je dois vous le confesser : il n'existe pas d'officine où trouver une réponse à cette question. Comme je vous l'ai déjà dit, à Wall Street, il n'y a pas de petite souris. Une fois sorti de chez vous, vous pouvez mettre votre argent sous l'oreiller d'un professionnel, mais il est probable que, lorsque vous vous réveillerez, vous serez déçu.

Bien sûr, je sais ce que vous allez me demander. Y a-t-il un autre endroit où je puisse me rendre ? Quelque chose que je puisse faire ? Quelqu'un vers qui me tourner ?

Au cours de mes vingt-cinq années dans les métiers de l'investissement, on m'a souvent posé ces questions. Parfois, j'ai été en mesure de recommander un gérant de fonds particulièrement brillant ou un gérant de fonds spéculatif exceptionnel. Dans ces cas-là, les fonds en question ont grossi jusqu'à atteindre plusieurs fois leur taille initiale, et les occasions d'investir se sont vite évanouies. J'ai également tenté d'aider des gens en leur donnant occasionnellement un tuyau sur une action ; ce qui ne constitue pas, cependant, une stratégie fiable à long terme et encore moins une stratégie universellement accessible.

Je ne sais donc que vous dire. Si vous voulez vous donner le moins de mal possible et si la simple moyenne ne vous rebute pas, un fonds indiciel est un bon choix. Mais si vous êtes capable d'analyser les sociétés – ce qui demande un minimum de compétences – et d'assumer une lourde charge de travail, sélectionner des actions une par une peut être une solution viable. Mais, comme nous l'avons vu au chapitre précédent, si vous ne savez ni évaluer les sociétés ni prévoir leurs bénéfices sur plusieurs années, vous n'avez rien à gagner dans les actions choisies isolément.

Et voici le point important. Aussi incroyable que cela puisse paraître, si vous voulez vraiment battre le Marché, il ne vous reste plus qu'une seule solution. Après tout ce que nous avons vu, je n'ai probablement pas à vous l'épeler. Mais disons simplement qu'elle rime avec… *mormule fagique.*

Ainsi, comme je vous l'ai promis, suivez les étapes décrites à la fin de ce livre et vous pourrez utiliser la formule magique pour battre le Marché. Vous pourrez réaliser des profits extraordinaires à long terme, et avec des risques faibles. En la suivant pas à pas, vous saurez exactement où aller et que faire. Et cela ne vous demandera pas trop de travail – juste quelques minutes de temps à autre.

Mais ce n'est pas le plus difficile. Le vrai challenge consiste à comprendre pourquoi la formule magique a du sens, et pourquoi elle continue à avoir du sens lorsque les amis, les experts, les médias, et Monsieur LeMarché prétendent le contraire. Et, enfin, bien que je me sois efforcé de vous faciliter la tâche, la partie la plus difficile, c'est de vous lancer.

Donc, bonne chance. Je crois vraiment que, si vous suivez les leçons de ce livre, vous rencontrerez beaucoup de succès dans vos investissements. C'est ce qui rend le chapitre suivant si important. Après tout, si mes calculs sont exacts, vous allez vous trouver en face d'un assez gros problème. Je suis très sérieux. Je veux dire, qu'allez-vous faire de tout cet argent ?

**Résumé du chapitre :**

1. À Wall Street, *il n'y a pas de petite souris !*

2. Rien ne rime avec *formule magique.*

 

Les instructions, pas à pas, pour battre le marché grâce à la formule magique figurent tout de suite après le chapitre suivant.

# CHAPITRE XIII

Que feriez-vous si vous aviez beaucoup d'argent ? Je veux dire après vous être préoccupé de votre famille et de vos proches, après avoir pris vos dispositions pour vos vieux jours et pour l'avenir de ceux que vous aimez, et après avoir suffisamment mis de côté pour quelques petits extras, que feriez-vous ?

En réalité, il se pourrait que vous ayez à répondre à cette question un jour. Mais, ne vous faites pas de souci. Je ne vais pas vous assommer avec une pile de statistiques. Je ne vais pas vous parler de tout l'argent que vous pourriez gagner grâce à la formule magique. Je ne vais même pas vous ennuyer avec la notion d'*intérêts composés*, système dans lequel vous investissez un petit capital à un taux d'intérêt normal et réinvestissez tous vos gains pour vous retrouver, au final, avec un beau magot. Je ne vais pas vous parler de tout cela.

Mais je vais dire ceci. Si vous êtes encore lycéen ou étudiant et que quelqu'un prend contact avec vous – aussi persuasif soit-il – pour vous vendre une tablette de chewing-gum à 25 cents, je vous donnerai ce conseil :

« N'en faites rien ! »

Je ne vous dis pas ça parce que vous risqueriez de vous retrouver au piquet avec un chewing-gum collé au nez. Je vous dis ça parce que, si vous comprenez que 25 cents placés correctement pourraient devenir 200 $ quand vous atteindrez l'âge adulte[1], vous n'iriez pas dilapider autant d'argent pour une simple tablette de chewing-gum. Vous pouvez éviter de dépenser votre argent dans bien des cas. Pensez plutôt à épargner, chaque fois que c'est possible, et à dépenser du temps pour élaborer une bonne stratégie d'investissement.

Malheureusement, je ne peux vous garantir que, dans l'avenir, l'utilisation de la formule magique donnera des résultats similaires à ses excellentes performances passées. Je ne peux pas le savoir.[2]

*Pour autant, je crois qu'utiliser la formule magique et les principes qui la justifient pour guider vos investissements futurs reste une des meilleures solutions. Je crois que si vous êtes capable de suivre la stratégie de la formule magique dans les bonnes et les mauvaises périodes, à la longue vous battrez aisément le Marché. En bref, je suis persuadé que, même quand tout le monde connaîtra la formule magique, vos*

---

1. 25 cents investis à 25 % par an, pendant trente ans, vous rapportent plus de 200 $. Bien entendu, je ne dis pas que vous obtiendrez réellement ce type de profitabilité (comme vous le savez, je ne dirai jamais ça).

2. Comme le Marché a rapporté en moyenne 12 % par an (dividendes réinvestis) pendant les dix-sept années de l'étude, et que ma meilleure estimation, pour les années à venir, est proche de 6 à 10 % par an, vous pouvez commencer par réduire de 3 ou 4 % par an vos anticipations pour les résultats que vous obtiendrez demain en utilisant la formule magique. Mais, une fois de plus, je ne peux pas le savoir.

*résultats continueront à être non seulement « tout à fait satisfaisants », mais, avec un peu de chance, extraordinaires.*

Voici l'accord que nous allons conclure ensemble. Si vous décidez d'utiliser la formule magique et qu'elle vous aide à gagner suffisamment d'argent pour que vous vous sentiez heureux, vous devez considérer ceci : en réalité, le temps et les efforts consentis pour investir à la Bourse ne sont pas une utilisation très productive de votre temps. Habituellement, quand vous achetez ou vendez des actions d'une société cotée, vous réalisez une simple transaction avec un autre actionnaire. En d'autres termes, la société elle-même n'y est pas impliquée et ne bénéficie pas de cet échange.

Beaucoup pensent que cette activité d'achats et de ventes est cependant tout à fait utile dans la mesure où un Marché actif des actions de la société se met en place. Théoriquement, si une société a besoin d'argent au-delà de ses fonds propres (les sommes qu'elle peut mobiliser sans emprunter), elle a l'opportunité de vendre de nouvelles actions sur le Marché. Elle peut utiliser cette procédure pour payer des factures, construire des usines ou assurer son expansion d'une autre manière. Cela est vrai. Ainsi, quand Jason décide de faire passer sa chaîne de magasins de dix à trois cents boutiques, il peut proposer à nouveau des actions directement au public et lever les capitaux nécessaires à son expansion. Comme les acheteurs des actions de « La Boutique de chewing-gum de Jason » savent qu'il y aura un Marché pour revendre ces actions après leur achat initial, ce sera plus facile pour Jason de lever des fonds. Ceux qui considèrent la Bourse comme un grand service public, sur ce point, ont raison.

Je n'en fais simplement pas partie. Oui, c'est bien d'avoir un Marché. Il n'empêche que plus de 95 % des transactions quotidiennes sont probablement stériles. Le Marché serait encore efficace sans la majorité des transactions, et il se porterait aussi bien sans votre contribution.

Au cours de la première classe de chaque semestre, j'annonce à mes étudiants que la formation que je vais leur dispenser n'a que peu de valeur. Ce n'est pas qu'ils n'auront pas le potentiel nécessaire pour gagner de grosses sommes d'argent avec ce qu'ils auront appris. C'est qu'ils pourraient à mon sens faire un meilleur usage de leur temps et de leurs facultés intellectuelles.

Ainsi, pour vous aussi, j'espère que ce livre et que les instructions pas à pas qui suivent vous aideront à atteindre vos objectifs d'investissement. Je crois fermement qu'ils le feront. J'espère aussi que ces objectifs d'investissement incluent une utilisation de votre bonne fortune susceptible de privilégier ce qui, pour vous, est le plus important.

Bonne chance.

# INSTRUCTIONS PAS À PAS

Le grand moment est arrivé. Comme vous le savez, la formule magique a obtenu d'excellents résultats dans le passé. Il s'agit de pouvoir reproduire aisément cette performance. Mais voyons d'abord quelques points.

D'abord, les profits indiqués dans cet ouvrage résultent d'un portefeuille d'environ trente actions, sélectionnées par la formule magique. Il est donc nécessaire que la stratégie retenue inclut la possession simultanée d'au moins vingt à trente actions. La formule magique fonctionnant sur une moyenne, posséder des actions qu'elle classe en tête permet de demeurer proche, dans la durée, de cette moyenne[1].

Soyez conscients du fait que le démarrage sera l'étape la plus difficile. Vous ne pourrez probablement pas acheter trente actions d'un seul coup. Pour reproduire les résultats de nos tests, vous devrez agir sur les

---

1. Évidemment, si vous effectuez votre propre sélection en n'utilisant la formule magique que comme un fil conducteur pour trouver des actions individuelles, n'appliquez pas cette diversification. Si, au contraire, comme la plupart des investisseurs, vous n'effectuez pas – ou très rarement – d'études sur des actions individuelles, se diversifier avec vingt ou trente actions de la formule magique est sans conteste la meilleure solution.

portefeuilles sélectionnés par la formule magique tout au long de la première année. Concrètement, il vous faudra ajouter cinq à sept actions par mois jusqu'à ce que votre portefeuille contienne vingt ou trente actions. Lorsque votre portefeuille aura un an, vous remplacerez cinq à sept des actions présentes dans le portefeuille depuis un an. N'ayez crainte, les instructions vous guideront.

Examinons à présent quelques solutions simples pour trouver les actions de la formule magique. Qu'il s'agisse de programmes disponibles sur Internet, ou de ceux qui utilisent Internet pour leurs mises à jour, les outils pour sélectionner des titres sont nombreux. Certains sont gratuits, d'autres non. En terme d'ergonomie, de fiabilité, de flexibilité ou d'étendue des données, chacun a ses avantages et ses inconvénients. La plupart sont capables de générer des ensembles d'actions pour la formule magique, à condition de satisfaire certains critères.

Nous avons conçu spécifiquement pour cet ouvrage un site Internet en français : *www.lepetitlivre.com*. En quelques clics, vous pourrez générer automatiquement une liste de sociétés sélectionnées grâce à la formule magique. D'autres plates-formes, en anglais, sont disponibles sur Internet. Elles sont à même de sélectionner des valeurs avec des méthodologies proches de la formule magique. Par exemple (liste non exhaustive) :

*www.businessweek.com*
*www.moneycentral.msn.com*

*www.powerinvestor.com*
*www.smartmoney.com* ou *aaii.com*[1].

L'accès à notre site *www.lepetitlivre.com* est gratuit, et les instructions pour sélectionner des actions sont les suivantes :

## Option 1 :
## www.lepetitlivre.com

#### ÉTAPE 1

Connectez-vous au site Internet <u>www.lepetitlivre.com</u> et cliquez sur « Utilisez la formule magique ».

#### ÉTAPE 2

Pour choisir la taille des sociétés, suivre la procédure. (Par exemple, les sociétés avec une capitalisation boursière de plus de 50 millions de dollars, ou de plus de 200 millions, ou de plus de un milliard, etc.) Pour la majorité de nos lecteurs, les sociétés ayant une capitalisation supérieure à 50 ou 100 millions de dollars suffiront.

#### ÉTAPE 3

Suivez les instructions pour obtenir une liste des sociétés en tête : la formule magique opère.

---

1. Si ces plates-formes sont gratuites – ou peu onéreuses – et de bonne qualité, elles ne sont pas conçues, nous insistons sur ce point, pour générer des listes d'actions dédiées à la formule magique. À cause des différences à la fois dans les critères de l'utilisateur, et dans les bases de données, elles ne donneront que des approximations des résultats de la formule magique. Des instructions générales de sélection sont disponibles sur chacun de ces sites.

### ÉTAPE 4

Achetez cinq à sept de ces sociétés. Pour commencer, n'investissez que 20 à 33 % de l'argent que vous avez l'intention d'investir au cours de la première année.

### ÉTAPE 5

Tous les deux à trois mois, répétez les étapes 1 à 4 jusqu'à ce que vous ayez investi tout le capital prévu. Après neuf ou dix mois, vous détiendrez un portefeuille de vingt à trente actions. (Par exemple, sept actions tous les trois mois, cinq ou six actions tous les trois mois, cinq ou six actions tous les deux mois.)

### ÉTAPE 6

Vendre chaque action après l'avoir conservée pendant un an. Pour celles ayant généré un gain, vendez-les quelques jours après ces un an, et pour les perdantes quelques jours avant. Utilisez les fonds provenant de ces ventes, en y ajoutant un peu d'argent frais le cas échéant, pour remplacer les actions vendues par celles de nouvelles sociétés, toujours sélectionnées par la formule magique (étape 1 à 4), de manière à conserver un portefeuille de taille constante.

### ÉTAPE 7

Continuez de cette façon pendant plusieurs années. Souvenez-vous que vous vous êtes engagés à poursuivre le processus durant trois à cinq ans, quels que soient les résultats. Sinon, vous arrêterez avant que la formule magique n'ait eu une chance de produire ses effets !

### ÉTAPE 8

Vous êtes libre de m'écrire pour me remercier.

## Option 2 :
## Instructions générales de sélection

Si vous utilisez un autre outil que *www.lepetitlivre.com* les étapes pour obtenir des résultats qui se rapprochent le plus de ceux de la formule magique sont les suivantes :

Prenez le ROI (*retour sur le capital investi*, en anglais, ROA, *Return On Assets)* comme critère de sélection. Il doit être au minimum de 25 %. (Ce critère remplacera le *retour sur le capital investi* utilisé dans la formule magique).

Extrayez de l'ensemble des sociétés au plus fort ROI celles dont le PER (ratio *cours/bénéfice par action)*[1] est le plus bas. Ce critère remplacera le *rendement du dividende* qui est utilisé dans la formule magique.

Éliminez de la liste les *utilities* et les actions des sociétés financières. (Par exemple, les banques et les sociétés d'assurance.)

Si une action fait apparaître un PER très bas (5 ou moins), cela peut signifier que, d'une manière ou d'une autre, les données ont été anormales l'année précédente. Il peut être judicieux d'éliminer ces actions de la liste. Afin de minimiser l'incidence de données incorrectes ou périmées, il peut également être judicieux d'éliminer les sociétés qui ont annoncé des résultats au cours de la semaine précédente.

Après avoir filtré convenablement votre liste, suivez les étapes 4 à 8 de l'Option 1.

---

1. Le ratio *cours/bénéfice par action*, en anglais *Price/Earning Ratio*, le célèbre PER, figure dans la plupart des pages de cotations. (NDT)

# ANNEXE

## AVIS IMPORTANT :

Il n'est pas obligatoire de lire cette annexe. Pour utiliser la stratégie de la formule magique avec succès, il vous suffit de comprendre ses deux concepts de base. D'abord, acheter de bonnes sociétés à des prix bradés. C'est ce que fait la formule magique habituellement. Ensuite, il faut parfois des années à Monsieur LeMarché pour déceler une bonne affaire. C'est pourquoi la stratégie de la formule magique requiert de la patience. Cette section constitue simplement un commentaire additionnel à ces deux points.

Destinée aux lecteurs qui ont un niveau suffisant pour déchiffrer les comptes des entreprises, cette annexe décrit les informations de base qu'utilise la formule magique. Elle propose également des comparaisons entre la logique et les résultats de la formule magique et ceux d'autres études et méthodes qui ont démontré leur aptitude à battre le Marché.

# LA FORMULE MAGIQUE

La formule magique classe les sociétés selon deux paramètres : le retour sur le capital investi et le rendement du dividende. Ces éléments peuvent être mesurés de différentes façons. Les méthodes retenues ici sont les suivantes[1] :

## I. RETOUR SUR LE CAPITAL INVESTI

$$\frac{\text{EBIT (bénéfice avant frais financiers et impôt)}}{\text{Capital employé (fonds de roulement net + actif net comptable)}}$$

---

1. Pour les besoins de l'étude, les chiffres relatifs aux bénéfices s'appuient sur la dernière période annuelle connue, les éléments issus des bilans ont été ceux du dernier bilan publié, et les cours sur les derniers cours de clôture connus. Les *utilities* (secteurs eau et énergie), les sociétés financières et les sociétés dont les données étaient incertaines ont été éliminées. Des ajustements ont également été apportés concernant des dettes ne portant pas intérêt. Le portefeuille a été structuré autour de trente actions, en moyenne, détenues pendant la période de l'étude. Les capitalisations boursières ont été déterminées sur le cours moyen du dollar en 2003. Le nombre de sociétés au sein de chaque décile comme dans chaque groupe de capitalisation boursière a fluctué en fonction des évolutions de la base de données pendant la durée de l'étude.

LE RETOUR SUR LE CAPITAL INVESTI a été mesuré en calculant l'EBIT (bénéfice d'exploitation avant frais financiers et impôts) rapporté au capital employé (fonds de roulement net + actif net comptable). Nous avons préféré ce ratio à ceux communément employés : le ROE (bénéfice par action, *Return On Equity* en anglais) ou le ROA (bénéfice rapporté à l'actif net, *Return On Assets* en anglais), pour plusieurs raisons.

L'EBIT a été préféré au bénéfice net déclaré parce que les sociétés connaissent des niveaux d'endettement et des taux d'imposition différents. Utiliser l'EBIT permet d'évaluer les entreprises sans les distorsions dues à ces variations d'imposition ou d'endettement. De cette manière, il devient possible de comparer la marge opérationnelle réelle avec le coût des actifs nécessaires à assurer l'activité (capital employé)[1].

LE CAPITAL EMPLOYÉ (fonds de roulement net + actif net comptable) a été utilisé plutôt que l'actif total (utilisé dans le calcul du ROA) ou de la capitalisation (utilisée dans le ROE). L'idée est ici de déterminer combien de capital est nécessaire pour mener à bien les opérations de la société. Le fonds de roulement est introduit car une société doit financer ses stocks et ses créances à court terme (les liquidités en excès par rapport aux besoins de

---

1. Pour simplifier, il a été supposé que les amortissements (des charges sans décaissements imputables au bénéfice) étaient approximativement égaux aux frais de maintenance immobilisés (décaissements non imputables au bénéfice). En première approximation, on a admis, par conséquent, que le bénéfice avant frais financiers, impôt et amortissements – charges de maintenance en capital = bénéfice avant frais financiers et impôts.

l'exploitation ont été exclues du calcul), hors dettes à court terme (qui constituent, en réalité, des prêts sans intérêt). En plus du fonds de roulement, une société doit aussi financer l'achat des actifs nécessaires à sa bonne marche, tels que des biens immobiliers, des usines ou des équipements. Leur montant net après amortissements a donc été ajouté au fonds de roulement pour parvenir à une estimation du capital employé.

NOTE : les actifs immatériels, et notamment les *survaleurs d'acquisition* (*Goodwill,* en anglais), ont été exclus des actifs. Une survaleur apparaît lors de l'achat d'une société par une autre. La fraction du coût de l'acquisition, au-delà du montant des actifs, est habituellement affectée à un compte de survaleurs. Pour assurer son exploitation future, la société acheteuse doit remplacer des actifs, comme des usines et des équipements. Les survaleurs sont des coûts historiques qui n'ont pas besoin d'être renouvelés. Aussi, dans la plupart des cas, le retour sur actifs matériels seuls (excluant les survaleurs) fournit une meilleure évaluation des comptes réels de la société. Les calculs à partir du ROA ou du ROE, utilisés par de nombreux analystes, sont sujets à une distorsion due au fait qu'ils ne tiennent pas compte de la différence entre les actifs figurant au bilan et les actifs matériels, distorsion qui s'additionne à celle relative aux différentes conditions d'imposition et d'endettement.

## II. RENTABILITÉ

EBIT
(bénéfice avant frais financiers et impôts)

---

Valeur d'entreprise

La rentabilité a été mesurée en calculant le ratio de l'EBIT (bénéfice avant frais financiers et impôt) rapporté à la valeur d'entreprise (capitalisation boursière[1] + dette nette portant intérêt). Ce ratio a été préféré à ceux plus communément utilisés, le PER (acronyme de l'anglais *Price/Earning Ratio*), c'est-à-dire le rapport cours/bénéfice par action, et à son contraire, le EPR (acronyme de l'anglais *Earning/Price Ratio*), pour les raisons qui suivent. L'idée de base, derrière le concept de rentabilité, est de déterminer simplement combien une affaire rapporte par rapport à son prix d'achat.

La valeur d'entreprise a été utilisée au lieu de la capitalisation boursière (le cours multiplié par le nombre d'actions inscrites), puisque la valeur d'entreprise prend en compte à la fois le prix payé pour acquérir une participation dans l'entreprise et le financement par l'endettement qui participe à la création des bénéfices. En utilisant l'EBIT (bénéfice avant frais financiers et impôt), et en le comparant à la valeur d'entreprise, on peut calculer le rendement avant impôt du prix total d'achat d'une entreprise (c'est-à-dire la marge d'exploitation rapportée à la capitalisation, augmentée de la dette à long terme le cas échéant).

---

1. Y compris les actions prioritaires ou les actions préférentielles.

Par exemple, dans le cas d'un immeuble acheté un million de dollars, avec un prêt hypothécaire de 800 000 $ et 200 000 $ de valeur des actions, la capitalisation boursière est de 200 000 $ mais la valeur d'entreprise est de 1 000 000 $. Si l'immeuble rapporte 100 000 $ avant frais financiers et impôt, le rapport considéré est de 10 % (100 000 $/1 000 000 $). Cependant, l'utilisation de la dette peut masquer la rentabilité apparente des mêmes actifs quand on ne considère que le cours payé. En supposant un taux de 6 % sur un prêt hypothécaire de 800 000 $ et un taux d'impôt sur les bénéfices des sociétés de 40 %, la rentabilité avant impôt de notre achat d'actions de 200 000 $ semble être 26 %[1]. Comme le niveau d'endettement change sans arrêt, ce bénéfice avant frais financiers à long terme et avant impôt évolue continuellement, alors que le prix total d'achat de 1 000 000 $ et le revenu de l'immeuble de 100 000 $ resteront inchangés. En d'autres termes, les ratios PER

---

1. 100 000 $ de bénéfice avant frais financiers et avant impôt moins 48 000 $ de frais financiers, égale 52 000 $ de bénéfice avant impôt. 52 000/200 000 égale 26 %. Le ratio EPR (ratio bénéfice par action sur cours) ou rendement après impôt serait de 15,6 %. (100 000 d'EBIT moins 48 000 de frais financiers moins 20 800 d'impôts égalent 31 200; 31 200 rapportés à 200 000 donnent 15,6 %). Ces 15,6 % seraient plus commodément comparables au ratio EBIT/valeur d'entreprise de 6 % (c'est-à-dire au rapport bénéfice avant frais financiers mais après impôt, divisé par la valeur d'entreprise). Il est important de noter que ce rapport du bénéfice avant frais financiers mais après impôt rapporté à la valeur d'entreprise, utilisé ici pour mesurer les alternatives d'investissement, est à comparer au rapport d'un investissement sans risque dans une obligation d'État à dix ans et non au rendement de 10 % défini ci-dessus.

(ratio cours/bénéfice) et EPR (ratio bénéfice/cours) sont largement influencés par les modifications du niveau d'endettement, alors que le ratio EBIT/Valeur d'entreprise ne l'est pas.

Considérons deux sociétés, la société A et la société B. Ce sont en fait deux sociétés identiques (ayant le même chiffre d'affaires, la même marge opérationnelle, les mêmes résultats comptables), sauf que la société A n'a pas de dettes et que la société B a 50 $ de dettes (au taux de 10 %). Tous les chiffres sont rapportés à une action.

|  | SOCIÉTÉ A | SOCIÉTÉ B |
|---|---|---|
| Ventes | 100 $ | 100 $ |
| Bénéfice av. f.f. et av. impôt | 10 $ | 10 $ |
| Frais financiers | 0 $ | 5 $ |
| Bénéfice avant impôt | 10 $ | 5 $ |
| Impôt sur les bénéfices des sociétés | 4 $ | 2 $ |
| Bénéfice net | 6 $ | 3 $ |

Le cours de la société A est de 60 $, le cours de la société B de 10 $. Quelle action est la moins chère ?

Voyons cela de près. Le PER de la société A est 10 (60/6 = 10). Le PER de la société B est de 3,33 (10/3). Le rendement (bénéfice sur cours) de la société A est de 10 % (6/60), tandis que le rendement de la société B est de 30 % (3/10). Alors, quelle société est la plus attrayante ? La réponse est évidente. La société B a un PER de seulement 3,33 et un rendement de 30 %. C'est beaucoup moins cher que la société A qui a un PER de 10 et un rendement de 10 % seulement. Ainsi, la société B est nettement moins chère, n'est-ce-pas ?

Pas si vite. Examinons le ratio EBIT/valeur d'entreprise pour les deux sociétés. Ils sont identiques ! Pour un acheteur de la totalité de la société, vaut-il mieux payer 10 $ par action et devoir 50 $ par action ou payer 60 $ par action et n'avoir aucune dette ? C'est la même situation ! Vous achèteriez 10 $ en valeur pour un bénéfice avant frais financiers et avant impôt de 60 $ dans les deux cas[1] !

|  | SOCIÉTÉ A | SOCIÉTÉ B |
|---|---|---|
| Valeur d'entreprise (Cours + dette) | 60 + 0 = 60 $ | 10 + 50 = 60 $ |
| EBIT | 10 | 10 |

1. Par exemple, soit vous payez 200 000 $ pour un immeuble et assumez un prêt hypothécaire de 800 000 $, soit vous payez 1 000 000 $ d'un seul coup : ce sera le même résultat pour vous. L'immeuble coûte 1 000 000 $ dans les deux cas !

# UNE PROMENADE GÂCHÉE

Les économistes se demandent depuis toujours s'il est possible de sélectionner des actions sous-évaluées autrement que par le biais du hasard. Leurs travaux, parfois désignés sous le nom bizarre de promenade au hasard ou, plus clairement, de *théorie du Marché efficient*, tendent à prouver que, de manière générale, le marché boursier serait très efficace. Il tiendrait compte de toutes les informations publiquement disponibles dans la détermination des cours. Ainsi, l'interaction entre acheteurs et vendeurs bien informés aboutirait à un cours juste des actions. Cette théorie, associée à l'incapacité de la plupart des gestionnaires professionnels à battre les moyennes du Marché sur le long terme[1], a logiquement mis à l'index une stratégie d'investissement visant, au mieux, à égaler les performances du Marché en investissant dans un fonds indiciel.

Bien entendu, des économistes ont proposé des stratégies se présentant comme capables de battre le Marché. Mais ces stratégies prêtent le flanc à de nombreuses critiques justifiées, par exemple :

---

1. À la fois avant et après déduction des commissions de gestion et des frais.

– La stratégie bat le Marché parce que les données utilisées pour choisir les actions n'étaient pas disponibles pour les investisseurs à l'époque de la sélection. (Erreur d'antériorité)

– La stratégie est faussée parce que les données ont été nettoyées : les sociétés ayant fait faillite ultérieurement avaient été exclues, améliorant artificiellement les résultats. (Erreur de nettoyage)

– La stratégie intègre des sociétés très petites, qui ne peuvent être sélectionnées par des professionnels, et qui n'auraient pas pu être achetées aux cours indiqués dans la méthode.

– La stratégie ne produit pas de performances offrant une marge significative après déduction des frais de courtage.

– La stratégie sélectionne des actions plus risquées que la moyenne du Marché et, de ce fait, a des performances factices.

– La stratégie consiste à passer un grand nombre de stratégies à la moulinette des données chiffrées des années écoulées jusqu'à en trouver une qui soit satisfaisante.

– La stratégie de sélection des actions a recours à des données tirées de stratégies qui ont été conceptualisées après la date supposée d'achat des actions.

Heureusement, notre formule magique semble ne tomber dans aucun de ces écueils. Elle utilise la base de données éditée par Standard & Poors, Compustat *Point in Time*[1]. Cette base de données présente l'information

---

1. En français, « à l'instant T ». (NDT)

disponible à toutes les dates testées durant la période de l'étude. Elle permet de remonter dix-sept ans en arrière, soit la durée choisie pour les tests de la formule magique. Partir de cette base de données permet de s'assurer qu'il n'y a ni erreur d'antériorité ni erreur de nettoyage.

En outre, la formule magique s'applique tant aux petites qu'aux grosses capitalisations ; elle offre un retour sur investissement très supérieur à la moyenne du marché et réalise cette profitabilité en prenant des risques moindres (indépendamment de la façon de mesurer le risque). Par conséquent, ni la petite taille des sociétés, ni des frais de courtage élevés, ni un risque supplémentaire ne peuvent être des facteurs de remise en cause de la validité des résultats de la formule magique. Quant aux erreurs de manipulation, ou à l'utilisation de stratégies économiques non disponibles à la date des achats, elles ne sont pas possibles non plus. Les deux seuls paramètres utilisés dans l'application de la formule magique (fortes marges combinées à un retour sur capital élevé) ont été les uniques facteurs que nous avons jugés utiles pour analyser une société.

Pour résumer, malgré son évidente simplicité et les objections habituelles, la formule magique semble fonctionner. Même comparée à des stratégies plus sophistiquées appliquées jusqu'ici dans les meilleures recherches sur la façon de battre le Marché, elle fonctionne.

Pourtant, en un sens, le succès de la formule magique ne devrait pas surprendre. Des méthodes simples pour battre le Marché sont connues depuis un certain temps. Nombre d'études ont confirmé que les stratégies fondées sur la valeur réelle des sociétés battent le Marché sur le long terme, et que les différents modes de mesure de la valeur d'une société ont fait leur preuve. Par exemple – et la liste n'est pas exhaustive –, la sélection des sociétés par des cours bas comparés aux actifs nets, ou à la capacité d'autofinancement, ou aux ventes réalisées, et/ou aux dividendes versés. Comme pour la formule magique, ces stratégies simples, fondées sur la valeur des sociétés, ne marchent pas systématiquement mais, à long terme, elles fonctionnent. Pour autant, malgré l'abondante littérature sur le sujet, la plupart des particuliers et des professionnels n'ont pas la patience requise pour les utiliser. De longues périodes de sous-performance les rendent difficiles à appliquer, et, pour certains professionnels, pratiquement impossibles à mettre en œuvre.

D'autre part, ces méthodes simples sont, il est vrai, plus efficaces avec des sociétés ayant une petite ou moyenne capitalisation qu'avec les grosses capitalisations, ce qui n'est guère étonnant. Trop petites pour que les professionnels puissent les acheter et pas suffisamment importantes pour générer des analyses pointues, ces sociétés ont plus de chances de ne pas être étudiées ou d'être mal comprises. C'est pourquoi elles ont une plus grande probabilité d'apparaître comme des occasions de bonnes affaires. C'est aussi le cas de la formule magique : elle a obtenu ses meilleures performances avec les plus petites capitalisations.

Cependant, sa bonne performance ne peut être raisonnablement attribuée au fait qu'il s'agisse de petites capitalisations, car par rapport aux grosses sociétés, les actions ayant une petite capitalisation n'ont pas surperformé de façon remarquable pendant la période de l'étude. Si on divise notre ensemble de sociétés par dix en fonction de leurs capitalisations pendant les dix-sept années de l'étude, les 10 % des plus petites sociétés ont réalisé des profits de 12,1 %, tandis que les 10 % des plus importantes ont réalisé 11,9 %. Le décile le plus proche a présenté des résultats similaires : 12,2 % pour les secondes plus petites et 11,9 % pour les secondes plus grosses.

En fait, la question de savoir si les petites capitalisations surperforment les plus importantes n'est pas essentiel. Il semble clair qu'il existe une plus forte probabilité de trouver des bonnes occasions (et des cours surévalués, par ailleurs) dans la zone des petites capitalisations. Elles sont plus nombreuses, et il est probable qu'elles seront sommairement analysées, de sorte que leur performance sera moins bien évaluée. En un sens, il est plus facile pour des méthodes simples – comme la sélection par le cours bas de l'action par rapport aux actifs nets ou comme la formule magique –, de détecter des bonnes occasions parmi les sociétés à faible capitalisation.

Cependant, la formule magique s'écarte des méthodes citées ci-dessus, qu'elles soient basiques ou sophistiquées, au niveau des grosses capitalisations (supérieures à un milliard de dollars). Pour ces sociétés aussi, les résultats de la formule magique restent particulièrement probants, là où les autres méthodes sont loin de l'être. Par exemple, au cours de la période testée de dix-sept années, la mesure la plus couramment utilisée pour identifier les "bonnes" sociétés, le rapport cours de l'action/actif net, ne distinguait pas vraiment les gagnantes des perdantes parmi ces grosses sociétés. Le décile le mieux classé sur le ratio cours bas/actif net élevé (10 % des moins chères) battait le décile le moins bien placé (10 % des plus chères) de 2 % par an seulement[1].

En comparaison, la stratégie de la formule magique a fait beaucoup mieux. Le décile le mieux classé (10 % des moins chères) battait le moins bien placé (10 % des plus chères) de plus de 14 % par an, en moyenne, pendant les dix-sept années d'étude. Le meilleur groupe a obtenu une profitabilité de 18,88 %, le plus mauvais de 4,66 %, tandis que la moyenne du Marché, pour cet ensemble d'actions ayant une capitalisation de plus de un milliard de dollars, a été de 11,7 %. En vérité, cela n'est guère surprenant. Se fonder simplement sur un cours peu élevé par rapport à la valeur des actifs dans le passé peut indiquer qu'une société est bon marché. Mais tenir simultanément

---

1. Soit 13,72 % pour le décile le meilleur, et 11,51 % pour le décile le moins bon. La moyenne du Marché pour le groupe complet a été de 11,64 %.

compte des bénéfices élevés permet une mesure plus efficace, et beaucoup plus pertinente, du caractère bradé d'une action. Bien sûr, ce sont les deux facteurs sur lesquels s'appuie la formule magique.

Parmi les études récentes, la plus intéressante, à mon avis, a été conduite par le professeur Joseph Piotroski[1] de l'Université de Chicago. Il s'est attaché à comparer le cours à l'actif net de sociétés cotées, et a observé que, alors que les actions à faible rapport cours/actif net battaient en moyenne le marché, moins de la moitié des actions choisies en utilisant cette clé de sélection surperformaient nettement le marché. Piotroski se demanda s'il pourrait améliorer ces résultats en utilisant des évaluations comptables simples et accessibles. Piotroski divisa les sociétés par groupes de 20 % (en quintiles) ayant le meilleur rapport cours/actif net (c'est-à-dire 20 % des moins chères) en utilisant neuf paramètres de mesure de la santé financière des entreprises, parmi lesquelles la profitabilité, l'efficacité opérationnelle, la qualité du bilan. Le résultat sur vingt et un ans fut spectaculaire... à une exception près.

Pour les sociétés les plus importantes, le système n'était pas très efficient. Le tiers le mieux classé des plus grosses capitalisations[2] ne surperformait pas significativement les actions les moins bien classées de

1. Piotroski, J. « Value Investing: The Use of Historical Financial Statements to Separate Winners from Loosers », *Journal of Accounting Research*, Volume 38, supplément, 2000.

2. Pour la formule magique, cela correspond à des sociétés avec une capitalisation supérieure à environ 700 millions de dollars.

la liste[1]. Cela non plus n'est pas si surprenant. Comme nous l'avons signalé précédemment, il est plus probable de trouver des actions mal évaluées par le Marché parmi les petites et moyennes sociétés.

Les limites de ces méthodes destinées à battre le Marché avec les grosses sociétés ont déjà été évoquées. Même les stratégies très élaborées, obtenant d'excellents résultats en général, ne fonctionnent pas aussi bien que la formule magique sur les grosses capitalisations[2]. Par exemple, le modèle le plus sophistiqué imaginé à ce jour reste celui de Robert Haugen et Nardin Baker[3]. Le professeur Haugen a d'ailleurs créé une société de conseils en placement fondée sur les excellents résultats obtenus par sa méthode révolutionnaire.

Pour l'essentiel, Haugen a développé un modèle élaboré utilisant soixante et onze paramètres présentés comme des aides à la prévision. Ces soixante et onze facteurs évaluent les actions à partir du risque, de la liquidité, de la structure financière, de la profitabilité, de l'historique des cours et des estimations des analystes. S'appuyant sur un système compliqué de pondération de ces différents facteurs, le modèle de

---

1. Bien que les sociétés à grosse capitalisation mal classées par Piotroski aient donné des résultats médiocres comparés aux autres sociétés ayant un rapport cours/actif net bas, sur une période de vingt et un ans, son système n'a sélectionné que trente-quatre sociétés du bas de la liste.

2. Ou dans l'ensemble des sociétés classées en fin de liste pendant vingt et un ans.

3. Haugen, R. et Baker, N., « Commonality in the Determinants of Expected Stock Returns », *Journal of Financial Economics*, été 1996.

Haugen prédit le comportement futur de chaque action. Les profits futurs prévisionnels de l'ensemble des 3 000 sociétés évaluées par le modèle de Haugen sont consultables sur son site Internet. Ils couvrent une période s'étalant de février 1994 à novembre 2004. Nous avons décidé de vérifier si le modèle de Haugen fonctionnait pour les grosses sociétés (dont la capitalisation est supérieure à un milliard de dollars en 2004).

Il fonctionne effectivement; les résultats sont tout à fait spectaculaires. Sur la totalité de cette période de dix ans, la moyenne du Marché pour l'ensemble des grosses sociétés a été de 9,38 %. Les sociétés les mieux classées (dans le décile supérieur) par le modèle de Haugen ont réalisé 22,98 %, tandis que les moins bien classées (le décile inférieur) ont perdu 6,91 %. Ce qui fait apparaître un écart de près de 30 % entre les meilleures et les plus mauvaises! Toute l'opération a été menée en conservant les actions durant un mois, et en les classant à nouveau au début de chaque mois. Or, même en comparaison de ces résultats mirifiques, la formule magique fait encore mieux!

Au cours de la même période de dix ans, les sociétés les mieux classées par la formule magique (le décile supérieur) ont réalisé 24,25 %. Les moins bonnes (le décile inférieur) ont perdu 7,91 %. Soit un écart entre les meilleures et les moins bonnes de 32 %! Bien que les résultats de la stratégie de la formule magique soient sensiblement meilleurs (et plus faciles à obtenir) que ceux du modèle à soixante et onze paramètres imaginé par Haugen, la performance des deux méthodes est excellente et tout à fait comparable. Le seul problème est que la plupart des particuliers n'achètent pas des actions pour les revendre un mois plus tard. Outre le temps considérable qu'elle demande, les frais de courtage et la taxation encourue, cette méthode repose essentiellement sur une stratégie d'aller et retour. Alors que se passe-t-il si nous modifions ce test en conservant les titres pendant un an[1]?

Un phénomène intéressant apparaît alors. Le modèle de Haugen maintient des performances très correctes : le meilleur décile atteint 12,55 % (contre 9,38 % pour l'ensemble du Marché) et le moins bon décile atteint 6,92 %. L'écart entre les deux est tombé à 5,63 %. Si nous n'avions pas su que ces résultats avaient été obtenus avec des portefeuilles d'un mois, cet écart nous aurait paru plutôt acceptable. Et qu'en est-il de la formule magique ? Le meilleur décile atteint 18,43 % et le moins bon décile 1,49 %, soit un écart entre les deux de presque 17 % ! C'est excellent, quelle que soit la manière d'envisager les choses. Enfin, un dernier point va vous intéresser : la plus mauvaise performance de la méthode Haugen (sur une période globale de dix ans) a été, sur trente-six mois consécutifs, de - 43,1 %. La plus mauvaise performance au bout de trente-six mois avec la formule magique a été de 14,3 %. En plus, la formule magique ne combine que deux paramètres (contre

---

1. Les portefeuilles ont été achetés chaque mois pendant la période de dix ans, et chaque portefeuille a été conservé un an. Ainsi, plus de cent vingt portefeuilles distincts ont été testés pour chacune des deux stratégies.

soixante et onze) et n'a recours à aucune formule mathématique[1].

Pour conclure, la formule magique apparaît performante. Je pense, et j'espère, qu'elle continuera à l'être dans l'avenir. J'espère aussi qu'à l'instar de Mark Twain qui trouvait qu'un parcours de golf était « une promenade gâchée », on considérera un jour la théorie du Marché efficient comme un véritable gaspillage.

---

1. Le professeur Haugen ne suggère pas d'acheter les meilleures actions, celles qui se classent dans les dix premières, ni de conserver les portefeuilles pendant un an. Il se trouve, par ailleurs, que les pertes durant les trente-six plus mauvais mois, pour les dix meilleures sociétés les mieux placées, sont semblables à celles de l'ensemble du Marché pendant la même période. Les statistiques dont il est fait état ont été traitées afin de permettre la comparaison entre le système Haugen et la formule magique pour toutes les capitalisations supérieures à un milliard de dollars.

# REMERCIEMENTS

Je suis reconnaissant aux nombreux amis, collègues, et membres de ma famille qui ont participé à ce projet. Je remercie en particulier mes associés de Gotham Capital, Rob Goldstein et John Petry. Non seulement ils sont les coauteurs de l'étude de la formule magique décrite dans cet ouvrage, mais c'est également un privilège d'être associé à des personnalités si brillantes, talentueuses et généreuses. Leur contribution à cet ouvrage – et au succès de *Gotham Capital* – ne peut être sous-estimée, et est bien plus appréciée qu'ils ne le pensent. Je voudrais aussi vivement remercier Edward Ramsden tout d'abord, de *Caburn Capital*, pour ses commentaires perspicaces, ses suggestions, et son apport éditorial; Norbert Lou ensuite, de *Punchcard Capital*, en particulier pour son apport et ses suggestions dans le chapitre IX; et Patrick Ede, enfin, de *Gotham Capital*, pour sa participation primordiale à l'étude de la formule magique, pour ses commentaires intelligents et constructifs, et pour ses talents d'éditeur. Je salue le mérite de mon frère, Richard Greenblatt, d'*American Capital*, qui fut non seulement mon éditeur, au sens large, mais qui m'apporta aussi de nombreuses idées, participa à l'élaboration de chaque chapitre et qui me dispense toujours de précieux encouragements.

Je remercie également les nombreuses contributions et idées du D^r Sharon Curhan (ma sœur et artiste favorite), du D^r Gary Curhan, de *Justin Curhan*, Linda Greenblatt Gordon de *Saddle Rock Partners*, Michaël Gordon, Bryan Binder de *Caxton Associates*, du D^r Susan Binder, d'Allan et Mickey Greenblatt (mes merveilleux parents), du D^r George et Cecile Teebor (les célèbres beaux-parents), de Ezra Merkin de *Gabriel Capital*, de Rod Moskowitz, John Scully, Marc Silbert, David Rabinowitz de *Kirkwood Capital*, Larry Balaban, Rabbi Label Lam, Eric Rosenfeld de *Crescendo Partners*, Robert Kushel (mon courtier chez *Smith Barney*), Dan Nir de *Gracie Capital*, Brian Gaines de *Springhouse Capital*, de Bruce Newberg (qui me mit le pied à l'étrier), Matthew Newberg et Rich Pzena de *Pzena Investment Management*. Des remerciements spéciaux à David Pugh, mon éditeur chez Wiley, et à Sandra Dijksra, mon agent littéraire, pour leurs encouragements et leur soutien enthousiaste à ce projet. Merci aussi à Andrew Tobias d'être un excellent ami.

# TABLE DES MATIÈRES

*Impression réalisée sur CAMERON par*

**BRODARD & TAUPIN**

GROUPE CPI

*La Flèche (Sarthe)*
*en août 2006*

*Imprimé en France*
N° d'impression : 37177
Dépôt légal : septembre 2006